고등학교 기술·가정

# 평가
# 문제집

조강영 | 최은경 | 이경옥 | 김현숙 | 유진희 | 임보임 | 장혜림
한경문 | 박근태 | 이현주 | 조윤상 | 이은미 | 박윤정 | 민창기

금성출판사

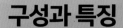

# 구성과 특징

이론 및 활동을 전개하고, 중단원 및 대단원 마무리를 통해 핵심 개념 위주 학습 및 자기 주도적 학습이 가능하도록 구성하였습니다.

## 1. 인간 발ᄃ

| 핵심 정리 | 01 |

**1. 사랑과 결혼**

단원에서 꼭 알아야 할 핵심 내용을 정리하였습니다.

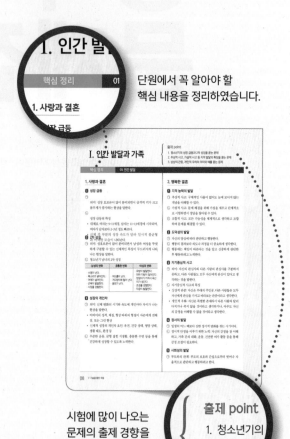

시험에 많이 나오는 문제의 출제 경향을 제시하였습니다.

**출제 point**

1. 청소년기의
2. 추상적 사고
3. 상상의

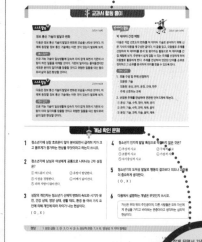

교과서 활동의 예시 답안을 제시하여 교과서 내용을 쉽게 이해하고, 자기 주도적 학습이 가능하도록 하였습니다.

개념을 묻는 문제를 풀면서 핵심 내용을 점검할 수 있게 하였습니다.

**개념 확인 문제**

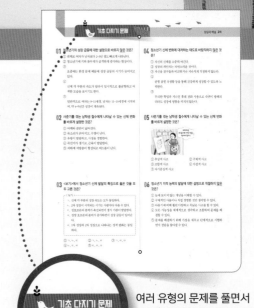

여러 유형의 문제를 풀면서
기초를 탄탄하게 다질 수 있게
하였습니다.

시험에 자주 나오는 중요한
문제를 풀면서 실력을 쌓을 수
있게 하였습니다.

다양한 유형의 시험 문제로
구성된 단원별 문제와
서술형 문제를 풀면서 대단원을
정리할 수 있게 하였습니다.

대단원과 관련된 주제를
바탕으로 융합적인 소재를
넣어 사고력과 표현력을
키울 수 있게 하였습니다.

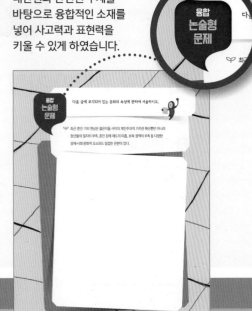

# 차례

## Ⅰ 인간 발달과 가족

## Ⅱ 가정생활과 안전

## Ⅲ 자원 관리와 자립

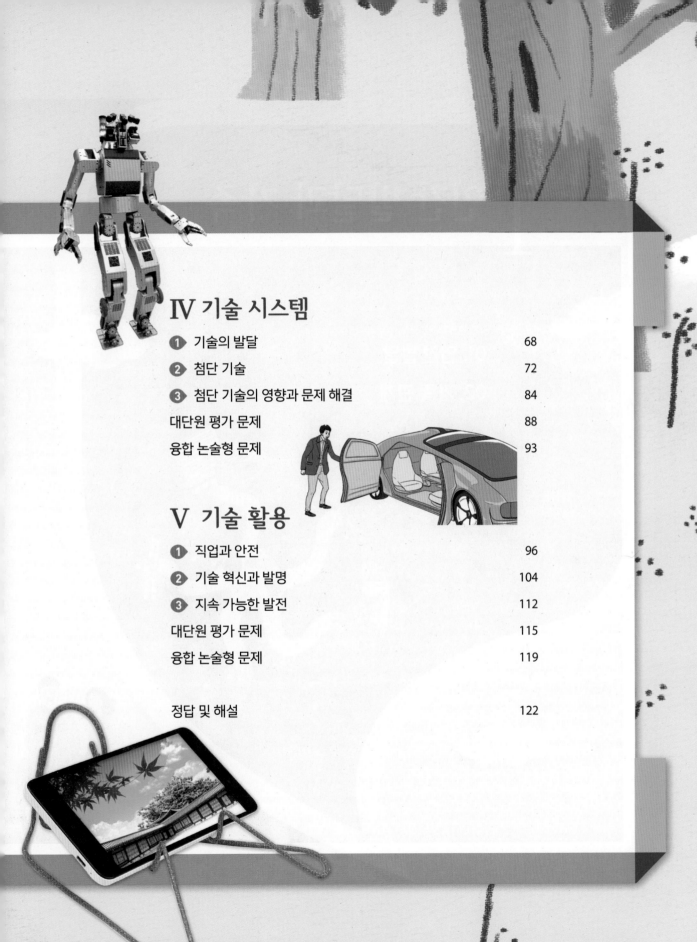

# Ⅰ 인간 발달과 가족

## 이 단원의 성취 기준과 학습 요소

| 중단원 | 소단원 | 성취 기준 | 학습 요소 |
|---|---|---|---|
| 01. 인간 발달 | 1. 사랑과 결혼 | · 건강한 가족 형성의 기반이 되는 사랑과 결혼의 의미를 설명할 수 있다.<br>· 행복한 결혼에 대한 가치를 탐색할 수 있다. | – 사랑의 의미<br>– 결혼의 의미<br>– 행복한 결혼 |
| | 2. 배우자 선택 | · 이상적인 배우자상에 대한 개인적, 사회적 고정 관념을 성찰할 수 있다.<br>· 행복한 가정생활을 위한 배우자 선택 기준을 제안할 수 있다. | – 배우자 선택의 의미<br>– 배우자 선택의 기준 |
| | 3. 부모됨의 준비 | · 부모됨의 의미를 인식할 수 있다.<br>· 책임 있는 부모가 되기 위해 필요한 역량을 탐색할 수 있다. | – 부모됨의 의미<br>– 책임 있는 부모됨 |
| | 4. 임신과 출산 | · 임신 중 생활과 출산의 과정을 설명할 수 있다.<br>· 계획적인 임신과 건강한 출산을 위한 방안을 탐색할 수 있다. | – 임신 중 생활<br>– 태아 발달<br>– 출산 |
| 02. 가족 관계 | 1. 자녀 돌보기 | · 신생아기, 영·유아기, 아동기의 발달 특징을 설명할 수 있다.<br>· 부모의 역할과 자녀 돌보기 방법을 익혀 부모가 되기 위해 필요한 역량을 추론할 수 있다. | – 각 시기별 발달 특징<br>– 부모의 역할과 자녀 돌보기 |
| | 2. 가족 문화와 세대 간의 관계 | · 가족 문화의 의미를 설명할 수 있다.<br>· 세대 간 관계를 조화롭게 영위할 수 있는 방안을 탐색하여 가족 관계에 적용할 수 있다. | – 가족 문화와 가족의 역사<br>– 세대 간 관계 |

# I 인간 발달과 가족

출제 point
1. 스턴버그의 사랑과 결혼의 동기를 묻는 문제
2. 배우자 선택의 과정과 기준을 묻는 문제
3. 책임 있는 부모가 되기 위한 준비 사항을 묻는 문제
4. 임신 중 생활과 출산 과정의 특징을 묻는 문제

## 핵심 정리

## 1. 사랑과 결혼

### 1 사랑과 성
① 성숙한 사랑 ─ 서로를 아끼고 위해주며, 서로에게 정성과 마음을 다하는 정서이다.
  ㉠ 스턴버그 사랑의 구성 요소: 친밀감, 열정, 헌신
  ㉡ 스턴버그 사랑의 7가지 형태: 성숙한 사랑, 좋아함, 도취성 사랑, 공허한 사랑, 낭만적 사랑, 우애적 사랑, 얼빠진 사랑
② 책임 있는 성: 성숙한 사랑을 이루기 위해서는 서로의 성에 대해 올바른 인식이 필요

### 2 행복한 결혼 ─ 성숙한 남녀 두 사람이 정신적, 신체적, 법적으로 결합하는 것이다.
① 결혼의 의미: 남녀 두 사람의 결합뿐만 아니라 가족 형성의 요소, 사회 유지 수단
② 바람직한 결혼의 동기: 서로 이해할 때 결혼이 바람직
  ㉠ 개인적 동기: 사랑의 실현, 성적 욕구 충족, 정서적·경제적 안정, 성인 신분 획득 등
  ㉡ 사회적 동기: 성의 통제, 사회 구성원 충원, 사회적 기대 부합 등

## 2. 배우자 선택

### 1 배우자 선택의 의미 ─ 서로의 인생과 가족의 인생에도 큰 영향을 미치므로 성숙한 사고와 합리적인 의사 결정이 필요하다.
① 배우자 선택 과정(여과망 이론)
  ㉠ 의미: 다양한 기준의 여과망을 통해 배우자의 대상이 좁혀지는 과정을 거침.
  ㉡ 과정: 근접성 → 매력 → 사회적 배경 → 의견 합치 → 상호 보완성 → 결혼 준비 상태 → 결혼

### 2 배우자 선택의 기준
  진실한 사랑과 마음의 확인, 외적 환경과 내적으로도 서로 조화를 이루고 수용할 수 있는지 고려

## 3. 부모됨의 준비

### 1 부모됨의 의미 ─ 자녀를 낳고 자녀가 건강하고 올바르게 자라도록 양육하는 등의 역할을 수행하는 것이다.
  정서적 만족감과 성취감, 가계 계승, 노후 보장, 사회적 분위기, 사회적 지위 획득 등

### 2 책임 있는 부모됨
① 신체적 준비: 자녀를 낳고 기를 만큼 충분히 성숙하고 건강한 몸
② 정신·정서적 준비: 자녀를 받아들이고 양육할 수 있는 정신·정서적 안정 필요
③ 경제적 준비: 자녀를 양육하고 교육하기 위한 경제적 능력
④ 사회적 준비: 사회에서 독립된 성인으로서의 역할 수행

## 4. 임신과 출산

### 1 임신과 출산의 의미 ─ 질 안에 사정된 정자와 배란된 난자가 만나서 수정란이 되고 세포 분열을 거쳐 자궁 내벽에 착상하여 태아로 자라는 전 과정을 의미한다.
  새로운 생명을 창조하는 과정, 부모로서 새로운 인생의 시작과 성숙한 인간이 되는 과정 등

### 2 계획적인 임신
  부모가 되는 첫 단계로 가족생활 설계로 계획, 신체적·정신적 건강 상태 유지 등이 필요

### 3 임신 중 생활
① 태아의 성장을 돕는 모체의 기관: 자궁 내부에 양수, 태반, 탯줄, 양막 등이 생성
② 태아의 발달 과정: 발아기(수정~2주) → 배아기(2~8주) → 태아기(3~10개월)
③ 부모의 역할: 영양 관리, 남편의 역할, 생활 수칙, 태교 등

### 4 건강한 출산
① 출산 준비: 분만 징후가 나타남. 긍정적인 마음, 정서적 준비와 함께 물품 준비, 집안 정리, 산후 조리 계획 등 ─ 배가 처지고 태동이 줄어들며 빈뇨 발생, 이슬, 진통, 양수 파수 등
② 출산 과정: 개구기(제1기) → 만출기(제2기) → 후산기(제3기)
③ 출산 후 회복: 출산 후 산모의 몸이 임신 전의 상태로 회복되는 시기, 오로, 훗배앓이, 산후 우울증, 산욕열 발생, 충분한 휴식과 영양 공급, 정신적 안정이 필요
  └ 분만 후 나오는 자궁 분비물      └ 출산 전 늘어났던 자궁이 원래 상태로 수축하면서 나타나는 통증

# 교과서 활동 풀이

 **스스로 활동 1**

교과서 11쪽

### 영화 속 사랑의 유형

다음 영화 속 주인공의 사랑은 스턴버그의 사랑의 삼각형 중 어떤 사랑인지 이야기해 보자.

**예시 답안**

영화 속 주인공 철수의 사랑은 헌신, 친밀감, 열정의 사랑을 모두 갖추었다고 생각한다. 그 중에서도 자신을 알아보지 못하는 수진을 위해 헌신적으로 사랑하는 면은 3개 요소 중 헌신적 사랑이 가장 크다고 생각한다.

 **스스로 활동 2**

교과서 14쪽

### 결혼의 가치

내가 생각하는 행복한 결혼에 대한 가치를 생각해 보고, 다음 문장을 완성해 보자. 그리고 친구들과 비교해 보자.

**예시 답안**

· 나에게 행복한 결혼이란, 사랑하는 사람과 평생을 함께 하는 여행이다.
· 나에게 행복한 결혼이란, 평생을 함께하면서 서로에게 날개를 달아 주는 일이다.

 **스스로 활동 3**

교과서 17쪽

### 배우자 선택 기준

그래프는 남녀별 배우자 선택 기준을 나타낸 것이다. 배우자 선택 기준이 시대별로 변하는 이유가 무엇인지 생각해 보자.

**예시 답안**

미혼 남성의 경우 직업과 경제력이 배우자 선택 기준으로 증가하였고, 미혼 여성의 경우 직업과 신뢰와 사랑이 크게 증가하였다.

 **스스로 활동 4**

교과서 18쪽

### 부모됨의 의미

부모의 마음을 기록한 다음 글을 읽어 보자. 그리고 주어진 문장을 완성하여 부모됨의 의미를 생각해 보고, 친구들이 작성한 것과 비교해 보자.

**예시 답안**

· 나에게 부모는 나의 우상이다. 왜냐하면 나는 부모님을 가장 존경하기 때문이다.
· 나에게 부모는 내가 인생을 올바르게 살아갈 수 있게 해 주는 나침반이다. 왜냐하면 나는 부모님을 가장 닮고 싶기 때문이다.

 **스스로 활동 5**

교과서 22쪽

### 임신 가능 기간 계산

**Q1** 결혼한 부부가 임신을 계획하기 위해 미리 알아야 할 것들은 어떤 것들이 있을지 생각해 보자.
**Q2** 여성의 월경 주기가 28일로 규칙적일 때 월경 예정일이 5월 29일이라면 배란일과 임신 가능 기간을 다음 달력에 표시해 보자.

**예시 답안**

**Q1** 임신을 계획하기 위해서 미리 알고 있어야 할 내용으로는 월경 주기의 이해, 임신 전에 먹어야 할 영양제, 산전 검사의 종류, 균형 잡힌 식생활과 운동 방법 등이 있다.
**Q2** 배란일은 5월 15일, 임신 가능 기간은 5월 10일~5월 18일이다.

**함께하는 활동**

교과서 20쪽

### 바람직한 부모 역할 알아보기

사회적인 변화로 현대의 부모들은 과거와 달리 자녀 양육에 많은 어려움을 겪게 되었다. 부모 교육은 부모들이 그들의 역할과 책임을 보다 효과적이고 충분하게 수행하여 좋은 부모 역할을 할 수 있도록 지식이나 구체적 방법을 제공한다. 뿐만 아니라 부모로서 긍정적이고 성숙된 삶을 영위하는 데에도 도움을 줄 수 있다. 모둠별로 다음 문제 상황 중 하나를 선정하여 역할극으로 표현한 후 평가해 보고, 바람직한 부모 역할의 실제적 능력을 키워 보자.

**예시 답안**

모둠원 역할은 역할 연기자, 시나리오 작성자, 역할극 실연에 필요한 스태프의 역할 등으로 나눈다. 시나리오 작성 및 상황에 대한 문제 인식과 바람직한 대안 설정은 상황에 따라 작성한다. 실연에서는 역할을 바꾸거나 새로운 방법으로 해석할 수도 있다.

**1** 스턴버그의 사랑의 삼각형에서 사랑의 구성 요소는 친밀감, 열정, 헌신이다.

( O , X )

**2** 정서적·경제적 안정은 결혼의 사회적 동기에 해당한다.

( O , X )

**3** 배우자 선택의 과정은 우연하게 이루어지기 보다는 다양한 기준의 (　　　　　)을/를 통해 배우자의 대상이 좁혀지면서 마지막으로 한 사람을 선택하게 된다.

**4** (　　　　　)은/는 부모가 되기 위한 신체적, 정신·정서적, 경제적, 사회적인 준비와 더불어 자녀 욕구를 바람직한 방향으로 충족시켜 주기 위한 꾸준한 노력이 필요하다.

**5** 태아가 자유롭게 움직일 수 있도록 하고 외부의 충격으로부터 태아를 보호하는 모체의 기관은?

① 자궁　　　　　② 태반　　　　　③ 양수
④ 탯줄　　　　　⑤ 양막

**6** 산욕기에 나타나는 증상으로 적절하지 **않은** 것은?

① 오로　　　　　② 이슬　　　　　③ 산욕열
④ 훗배앓이　　　⑤ 산후 우울증

**정답** 1. ○ 2. X 3. 여과망 4. 부모됨 5. ③ 6. ②

정답 및 해설 **122**쪽

**01** 사랑에 대한 설명으로 바르지 않은 것은?

① 개인의 발달과 긍정적 사고를 돕는다.
② 가족의 형성과 이를 지탱하는 중요한 바탕이다.
③ 우연히 경험하는 감정으로 일시적으로 나타나기도 한다.
④ 서로를 아끼고 위해 주며 서로에게 정성과 마음을 다하는 정서이다.
⑤ 타인과의 관계 속에서 자신의 삶을 행복하게 만들어가는 중요한 가치이다.

**02** <보기>의 설명에서 빈칸에 들어갈 말을 쓰시오.

── 보기 ├──

　　스턴버그는 사랑이 (　　　　　), 열정, 헌신의 세 가지 요소가 적절히 조화되어 이루게 된다고 하였다. 이 세 가지 요소를 다양하게 종합하여 7가지 사랑의 형태를 분류하였다.

**03** <보기>에서 결혼의 개인적 동기에 해당하는 것을 <u>모두</u> 고른 것은?

── 보기 ├──

ㄱ. 사랑의 실현　　　　　ㄴ. 사회 구성원 충원
ㄷ. 성의 통제　　　　　　ㄹ. 정서적 · 경제적 안정

① ㄱ, ㄴ　　　　② ㄱ, ㄹ　　　　③ ㄴ, ㄷ
④ ㄴ, ㄹ　　　　⑤ ㄷ, ㄹ

**04** 결혼에 필요한 성숙을 설명한 것으로 옳지 **않은** 것은?

① 부모님의 도움을 받아 가족을 부양할 수 있어야 한다.
② 서로를 이해하고 배려하며 자신의 선택에 책임을 져야 한다.
③ 자녀를 출산하고 양육할 수 있도록 신체적으로 건강해야 한다.
④ 원만한 사회생활에 필요한 기본 지식과 행동 양식을 갖추어야 한다.
⑤ 부부 관계와 새로운 부모 자녀 관계의 시작으로 법적, 사회적 책임과 역할이 따른다.

**05** <보기>의 설명에서 빈칸에 들어갈 말을 쓰시오.

┤ 보기 ├

(           )의 선택은 개인의 인생은 물론 가족의 인생에도 큰 영향을 미치므로 성숙한 사고와 합리적인 의사결정이 필요하다.

**06** 이성 교제의 기능으로 옳지 않은 것은?

① 오락의 기능
② 사회화의 기능
③ 배우자 선택의 기능
④ 경제적 안정의 기능
⑤ 이성에 대한 적응 기능

**07** <보기>에서 바람직한 배우자 선택의 기준으로 옳은 것을 모두 고른 것은?

┤ 보기 ├

ㄱ. 신체적·정신적으로 건강한가?
ㄴ. 사회적 지위가 얼마나 높은가?
ㄷ. 나와 생각이 얼마나 비슷한가?
ㄹ. 부모가 경제적으로 여유가 있는가?

① ㄱ, ㄴ    ② ㄱ, ㄷ    ③ ㄴ, ㄷ
④ ㄴ, ㄹ    ⑤ ㄷ, ㄹ

**08** 부모됨에 대한 설명으로 적절하지 않은 것은?

① 정서적 만족감과 성취감을 느낄 수 있다.
② 자녀를 통해 나의 존재가 연장되고 지속될 수 있다.
③ 현대 사회는 부모됨에 따른 부담과 책임이 줄어들었다.
④ 자녀가 건강하고 올바르게 자라도록 양육하고 교육하는 것을 포함한다.
⑤ 일·가정 양립의 어려움으로 인해 부모됨을 망설이는 경향이 강해졌다.

**09** 책임 있는 부모가 되기 위한 노력으로 적절하지 않은 것은?

① 독립된 성인으로서 역할을 수행할 수 있어야 한다.
② 자녀를 양육하고 교육하기 위한 경제적 능력이 필요하다.
③ 자녀의 노후까지 도움을 줄 수 있는 경제적 능력이 있어야 한다.
④ 자녀를 받아들이고 양육할 수 있는 정신·정서적 안정이 필요하다.
⑤ 자녀를 낳고 기를 만큼 충분히 성숙하고 건강한 몸을 만들어야 한다.

**10** 임신 전 건강한 자녀 출산을 위해 준비할 사항으로만 <보기>에서 골라 묶은 것은?

┤ 보기 ├

ㄱ. 성병 검사        ㄴ. 빈혈 검사
ㄷ. 풍진 검사        ㄹ. 체력 검사
ㅁ. 간염 검사        ㅂ. 시력 검사

① ㄱ, ㄴ, ㄷ, ㄹ        ② ㄱ, ㄴ, ㄷ, ㅁ
③ ㄱ, ㄴ, ㄹ, ㅁ        ④ ㄱ, ㄴ, ㄹ, ㅂ
⑤ ㄱ, ㄷ, ㅁ, ㅂ

**11** 다음이 설명하는 임신 중 모체의 기관은?

산소와 영양분을 태아에게 공급하고 태아의 배설물을 모체로 전달한다.

① 자궁        ② 양수        ③ 태반
④ 탯줄        ⑤ 양막

**12** 만출기에 나타나는 현상으로 가장 적절한 것은?

① 자궁이 수축된다.
② 자궁 경부가 확장된다.
③ 규칙적인 진통이 시작된다.
④ 태아 머리가 산도를 통해 외부로 나온다.
⑤ 자궁 수축에 의해 태반이 떨어져 나온다.

**중요**

**01** 스턴버그의 사랑의 삼각형에 대한 설명으로 바른 것은?

① 얼빠진 사랑은 열정만 있는 사랑이다.
② 헌신만 있는 사랑은 공허한 사랑이다.
③ 친밀감만 있는 사랑은 낭만적 사랑이다.
④ 우애적 사랑은 친밀감과 열정으로 구성된다.
⑤ 성숙한 사랑은 친밀감, 헌신이 조화를 이룬 사랑이다.

**02** <보기>의 성에 대한 용어와 개념이 바르게 연결된 것은?

┤ 보기 ├

ㄱ. 성(sex)

ㄴ. 성(gender)

ㄷ. 성(sexuality)

① ㄱ - 사회 · 문화적으로 학습, 인지된 성
② ㄴ - 성적 존재로서 성에 대한 믿음, 가치
③ ㄴ - 선천적인 남성 또는 여성의 구별
④ ㄴ - 사회 · 문화적으로 학습, 인지된 성
⑤ ㄷ - 선천적인 남성 또는 여성의 구별

**03** 성적 자기 결정권에 대한 설명으로 적절하지 <u>않은</u> 것은?

① 성적 행동에 대한 결과에 책임지는 것까지 포함한다.
② 성 행동에 대한 상대방의 의견을 자의적으로 해석한다.
③ 자신의 느낌과 생각을 솔직하고 확실하게 표현해야 한다.
④ 성 행동에 뚜렷한 기준을 가지고 주체적으로 의사 결정을 한다.
⑤ 자신의 의지와 판단에 따라 자율적으로 성적인 행동을 결정한다.

**04** 결혼의 법적 요건에 대한 내용으로 적절하지 <u>않은</u> 것은?

① 중혼이 아니어야 한다.
② 혼인 신고를 해야 한다.
③ 부모의 동의가 있어야만 한다.
④ 당사자 간의 합의가 있어야 한다.
⑤ 남녀 모두 만 18세 이상이어야 한다.

**05** 결혼에 대한 개인적 동기로 가장 바람직하지 <u>않은</u> 것은?

① 사랑의 실현
② 성인 신분 획득
③ 성적 욕구 충족
④ 정서적 · 경제적 안정
⑤ 외로움으로부터 도피

**중요**

**06** <보기>의 배우자 선택 과정을 순서대로 바르게 나열한 것은?

┤ 보기 ├

ㄱ. 혼기가 적절해 결혼 준비가 갖추어진 사람

ㄴ. 주변에 있어 만날 기회가 많은 사람

ㄷ. 신체적 매력과 호감을 느끼는 사람

ㄹ. 종교, 교육 수준, 직업 수준 등 사회적 배경이 유사한 사람

ㅁ. 서로의 가치와 태도가 유사한 사람

ㅂ. 서로의 장단점을 보완해 줄 수 있는 사람

① ㄱ→ㄴ→ㄷ→ㄹ→ㅁ→ㅂ
② ㄱ→ㄴ→ㄹ→ㅁ→ㄷ→ㅂ
③ ㄴ→ㄱ→ㄷ→ㄹ→ㅁ→ㅂ
④ ㄴ→ㄷ→ㄹ→ㅁ→ㅂ→ㄱ
⑤ ㄷ→ㄹ→ㅁ→ㅂ→ㄱ→ㄴ

**07** <보기>의 대화에 나타난 부모의 양육 태도에 해당하는 것은?

┤ 보기 ├
• 아들: 시험 점수가 안 나왔어요.
• 엄마: 점수가 잘 나왔건 안 나왔건 관심이 없어. 네가 알아서 해.

① 방임적 부모　　　　② 민주적 부모
③ 권위주의적 부모　　④ 과잉 보호적 부모
⑤ 자유주의적 부모

**08** 현대 사회에 이르러 결혼한 부부가 부모됨을 망설이는 이유로 적절하지 <u>않은</u> 것은?

① 출산에 대한 불안감
② 과중한 양육비 부담
③ 일·가정 양립의 어려움
④ 부모 역할에 대한 부담감
⑤ 가계 계승 및 사회 노동력 재생산

**09** 부모가 과잉 보호적(익애적) 양육 태도를 가지고 있을 때 자녀에게 나타나는 행동 특성을 <보기>에서 <u>모두</u> 고른 것은?

┤ 보기 ├
ㄱ. 정서적 성숙이 느리다.
ㄴ. 사회적 성취도가 높다.
ㄷ. 자신감이 없고 의존적이다.
ㄹ. 자기 방어적인 태도를 보인다.

① ㄱ, ㄴ　　② ㄱ, ㄷ　　③ ㄴ, ㄷ
④ ㄴ, ㄹ　　⑤ ㄷ, ㄹ

**10** <보기>에서 설명하는 변화가 일어나는 임신 기간은?

┤ 보기 ├
• 태아의 움직임을 느낀다.
• 유두의 크기가 커지며, 색이 짙어진다.
• 배가 불러 오면서 요통이 생기기도 한다.

① 임신 2~8주　　　② 임신 3~4개월
③ 임신 5~6개월　　④ 임신 7~8개월
⑤ 임신 9~10개월

**11** <보기>의 대화에서 임신 중 부모 역할에 대해 올바르게 알고 있는 사람을 <u>모두</u> 고른 것은?

┤ 보기 ├
• 소연: 임신 초기에는 유산의 위험이 낮으므로 비교적 강도 높은 운동을 하는 것이 태아에게 도움을 줄 수 있어.
• 민규: 태아에게 칼슘을 공급하기 위해 우유와 유제품을 섭취하는 게 좋아.
• 가현: 태아는 뱃속에서 받았던 자극을 기억하지 못하므로 태담을 나눌 필요는 없어.
• 한진: 남편은 임신부가 출산에 대한 두려움을 극복할 수 있도록 옆에서 배려해야 해.
• 경민: 엄마의 상태에 따라 태아의 발달 정도가 달라지므로, 몸과 마음을 항상 편안하게 유지할 수 있어야 해.

① 소연, 민규, 경민　　② 소연, 민규, 가현
③ 민규, 가현, 경민　　④ 민규, 한진, 경민
⑤ 가현, 한진, 경민

**12** 출산 후의 생활로 적절하지 <u>않은</u> 것은?

① 외음부를 청결히 관리한다.
② 충분한 휴식과 안정을 취한다.
③ 영양상 균형 잡힌 식사를 한다.
④ 유방을 마사지하고 아이에게 젖을 충분히 준다.
⑤ 활동량이 많은 운동을 통해 몸의 회복을 돕는다.

# I 인간 발달과 가족

**출제 point**
1. 자녀의 발달 단계별 특징을 묻는 문제
2. 각 시기별 부모의 역할과 돌보기 방법을 묻는 문제
3. 세대 간 조화로운 관계를 유지하는 방안을 묻는 문제

### 핵심 정리

## 1. 자녀 돌보기

### ❶ 돌보기의 중요성
① **가족의 돌봄**: 가족원 간의 상호 보완적인 역할 수행 필요
② **사회적 돌봄**: 가족 해체 및 다양한 가족 구조의 변화로 인해 사회적 돌봄의 필요성 확대

### ❷ 신생아기(출산 후 첫 4주)
① **신생아기의 발달 특징**
　㉠ **신체 발달 특징**: 키 50cm 전후, 체중 2.5~4.0kg 정도
　㉡ **생리적 특징**: 신생아 황달, 태변 배설, 체중 감소 등이 발생
　　└ 출생 후 1~2일경에 나오는 짙은 녹색의 끈적끈적한 대변
② **자녀 돌보기와 부모 역할**
　㉠ 신뢰감과 안정감을 형성할 수 있도록 부모의 따뜻하고 수용적인 태도 필요
　㉡ 젖 먹이기, 재우기, 기저귀 갈아 주기, 목욕시키기 등
　㉢ **반사 행동**: 모로, 파악(잡기), 빨기(흡철), 바빈스키
　　└ 외부의 자극에 대한 무의식적이고 자동적인 반응

### ❸ 영아기(출생 후 4주부터 24개월까지)
① **영아기의 발달 특징**
　㉠ 신체, 인지, 언어, 사회성, 정서 등 여러 발달 영역에서 급속한 성장이 나타나는데, 특히 신체와 뇌의 빠른 발달
　㉡ 대상 영속성(물체가 보이지 않거나 소리가 들리지 않아도 존재하고 있음을 아는 것), 애착(아기와 양육자 사이에 형성되는 친밀감과 유대감) 등이 생김.
　㉢ 목 가누기, 혼자 앉기, 기어서 이동 및 붙잡고 서기, 걷기, 뛰기 순으로 운동 기능이 발달
② **자녀 돌보기와 부모의 역할**
　㉠ 영아의 기본 욕구를 지속적으로 충족시켜 주고, 적절한 신체 접촉을 통해 안정적인 애착 형성이 필요
　㉡ 이유식 먹이기, 배변 훈련하기, 언어 발달 돕기, 놀아주기, 안전한 환경 만들기

### ❹ 유아기(만 2세부터 만 6세까지)
① **유아기의 발달 특징**
　㉠ 영아기에 비해 신체 성장 속도는 감소, 언어 · 인지 · 사회 · 정서적 · 운동 능력 등이 크게 발달

　㉡ **인지 발달**: 상징적 사고, 자기중심적 사고, 물활론적 사고
　　┌ 모든 사물이 살아 있고 움직인다고 생각하는 사고
　　└ 사물이나 현상을 자신의 입장에서 생각하는 사고
② **자녀 돌보기와 부모 역할**
　㉠ 규칙을 일관성 있게 제시하고 유아의 호기심에 민감하게 반응해 주며, 사회적 존재로서 성장하도록 민주적인 양육 태도 필요
　㉡ 기본 생활 습관 지도, 언어 및 인지 발달 지도, 놀이 지도
　㉢ 훈육자로서의 역할이 중요

### ❺ 아동기(만 6세부터 만 11세까지)
① **아동기의 발달 특징**
　㉠ 운동 능력이 매우 발달, 타인 배려와 같은 사회적 능력이 발달
　㉡ 보존 개념(물체의 형태가 변하여도 양은 변하지 않는다는 것을 이해)과 가역적 사고(변화가 일어난 상태에서 역으로 돌려 원래대로 돌아갈 수 있다는 것을 아는 것)를 획득
② **자녀 돌보기와 부모 역할**
　㉠ 학습 안내자로서 성공의 경험을 제공하여 근면성을 발달시키고 긍정적인 자아 개념을 형성하도록 지원
　㉡ 생활 습관 지도, 학습 및 근면성 발달 지도, 도덕성 및 사회성 발달 지도

## 2. 가족 문화와 세대 간의 관계

### ❶ 가족 문화의 의미
① **의미**: 의식주의 소비 생활 양식을 포함하는 가정생활과 관련된 가치, 태도 등을 가족들이 공유하는 문화
② 기존의 가족 문화를 이해하면서 성별, 세대별, 가족 발달 측면에서 새로운 문화 형성이 필요
　　└ 같은 시대를 살면서 공통 의식을 가지는 비슷한 연령층의 사람들을 의미

### ❷ 조화로운 세대 간의 관계
① **부모 자녀 관계**: 서로의 차이점을 이해하고 배려하며, 열린 마음의 대화 노력이 필요
② **조부모 손자녀 관계**: 조부모가 가족 내에서 소외감을 느끼지 않고 조화롭게 참여하도록 배려하며 조부모를 통해 가족 역사와 삶의 지혜를 배우려는 자세 필요
　　└ 가족이 형성되어 현재까지 지내온 과정

# 교과서 활동 풀이

교과서 35쪽

## 스스로 활동 ①

### 에릭슨의 심리 사회적 발달 이론

에릭슨은 출생에서부터 노년기까지 각 단계마다 거쳐야 하는 발달 과업을 제시하였다. 영아기에 신뢰감을 형성하기 위한 부모 역할을 추론해 보자.

**예시 답안**

에릭슨은 애착을 통해 타인과 세상에 대한 기본적인 신뢰감과 안정감을 가지게 된다고 주장하였다. 따라서 영아기의 아이를 돌보는 부모는 안정된 애착을 형성시키기 위해 아이의 요구에 민감하게 반응하고 일관성 있는 태도로 긍정적인 반응과 따뜻한 스킨십을 해 주어야 한다.

교과서 37쪽

## 스스로 활동 ②

### 피아제의 인지 발달 이론

피아제는 인간의 인지 발달이 환경과의 상호작용에 의해서 이루어지는 적응 과정이며, 이는 4단계를 거쳐 발달한다고 보았다. 유아기 인지 발달을 위한 부모 역할을 추론해 보자.

**예시 답안**

유아기는 기억력이 향상되고 호기심이 발달하여 상상력이 풍부해지는 시기이므로, 상상력을 발휘할 수 있는 놀이를 위한 기회와 소재를 다양하게 제공해 주는 것이 좋다.

교과서 39쪽

## 스스로 활동 ③

### 콜버그의 도덕 발달 이론

콜버그는 아동이 도덕적 딜레마를 해결하기 위해 어떠한 논리를 사용하는지를 관찰했으며, 이에 근거하여 도덕적 사고 수준을 제시했다. 아동기 도덕성 발달을 위한 부모 역할을 추론해 보자.

**예시 답안**

콜버그 이론에 따르면 아동기의 아이들은 자신이 속한 집단의 기대와 기준에 맞추어 행동하려고 하고 사회 질서에 동조하려고 하므로, 아이들이 보여 주는 도덕적 행위에 적절한 칭찬을 해 주는 것이 효과적이며, 무엇보다 부모가 도덕적 행동의 모범이 되는 것이 중요하다.

교과서 41쪽

## 스스로 활동 ④

### 세대 간 조화로운 관계

세대 간 관계를 조화롭게 유지해야 하는 필요성과 방안을 알아보자.

**예시 답안**

모든 세대는 역사적으로 이어져 있는 관계로 한 사회 안에서 상호 연관을 가지며 조화롭게 살아가야 하며 모든 세대가 함께 건강하게 공존하는 것이 사회 전체를 위해서 바람직하기 때문이다.
세대 간 관계를 조화롭게 유지하기 위해서는 가족 중심의 좁은 가치관에서 벗어나 모든 세대가 똑같이 필요한 존재라는 인식을 가지고 세대별로 할 수 있는 역할을 수행하도록 존중해 주어야 한다. 구체적인 가족 내 세대 간 갈등을 해결하고 세대 간 조화로운 관계를 유지하기 위한 방안으로는 조부모와 손자녀 세대가 함께하는 프로그램, 새로운 효 교육, 양성평등 교육 등 생각을 바꿀 수 있는 교육 프로그램 등을 생각해 볼 수 있다.

교과서 42~43쪽

## 함께하는 활동

### 세대 간 공감과 조화로운 관계를 위한 UCC 제작하기

세대 간 공감과 조화로운 관계와 관련된 자료들을 인터넷, 종이 신문, 잡지 등에서 찾아 수집하고 수집한 자료를 바탕으로 공익 광고나 UCC를 제작해 보자.

**예시 답안**

역할 분담에서 자료 수집은 모둠원이 가능한 한 다 같이 참여하여 다양한 자료 수집이 가능하게 하고, 시나리오 작성, 음악 선정, 촬영, 편집, 보고서 작성 등은 각자의 역할로 분담한다. 제작에 필요한 촬영 도구의 사용법을 충분히 숙지하여 원하는 영상이 제작될 수 있도록 하고 인터뷰를 할 경우에는 사전에 약속을 잡고, 필요한 질문 사항을 정리하여 원활하게 인터뷰가 진행되도록 한다. 그리고 UCC 제작 일정을 체계적으로 계획하여 기한 내에 과제를 제출할 수 있도록 한다.

**1** 애착이란 아기와 양육자 사이에 형성되는 정서적 친밀감과 유대감을 의미한다.

( O , X )

**2** 세대 간 조화를 이루는 가족 문화를 만들기 위해서는 서로의 생각과 의견을 존중하고, 진심으로 이해하려고 노력하는 태도가 필요하다.

( O , X )

**3** 유아기에는 사물이나 현상을 자신의 입장에서 생각하고, 타인도 자신과 똑같이 생각하고 행동한다고 믿는 (          ) 사고가 나타난다.

**4** 아동기에는 물체의 형태가 변하여도 양은 변하지 않는다는 것을 이해하는 (          )을/를 획득한다.

**5** 학습 안내자로서의 부모 역할이 중요해지는 시기는?

① 영아기                  ② 유아기
③ 아동기                  ④ 청소년기
⑤ 신생아기

**6** 신생아의 반사 행동 중 놀라면 양팔과 다리를 벌렸다가 금방 몸 안쪽으로 오므리는 반응의 반사는?

① 빨기 반사               ② 걷기 반사
③ 파악 반사               ④ 모로 반사
⑤ 바빈스키 반사

정답    1. ○ 2. ○ 3. 자기중심적 4. 보존 개념 5. ③ 6. ④

기초 다지기 문제

정답 및 해설 123쪽

**01** 현대 사회에 사회적 돌봄의 필요성이 더욱 확대된 이유로 옳지 않은 것은?

① 아동 학대의 증가
② 가족 해체에 따른 방임
③ 다양한 가족 구조의 변화
④ 가속화되고 있는 고령 사회의 진입
⑤ 가족원 모두가 함께 즐기는 여가 생활의 증가

**02** 신생아기 자녀를 돌보는 방법으로 옳지 않은 것은?

① 면역 성분이 있는 초유를 먹인다.
② 흡습성이 우수하고 부드러운 기저귀를 사용한다.
③ 기저귀를 자주 갈면 피부가 짓무르게 되므로 자주 갈아 줄 필요가 없다.
④ 신생아의 신진대사를 촉진시키기 때문에 규칙적으로 씻기는 것이 좋다.
⑤ 수유 후에는 아기의 등을 부드럽게 두드려 트림을 시켜 소화를 도와줘야 한다.

**03** 신생아기의 일반적인 신체 발달에 대한 내용으로 가장 적절한 것은?

① 젖니가 나기 시작한다.
② 대근육과 소근육이 발달한다.
③ 가슴둘레가 머리둘레보다 커진다.
④ 뇌 발달이 미숙하고 활발하게 자라고 있는 상태이다.
⑤ 눈동자를 한 방향으로 움직일 수 있고 거의 모든 사물을 볼 수 있다.

**04** <보기>의 영아기 운동 기능 발달 내용을 순서대로 바르게 나열한 것은?

| 보기 |

ㄱ. 혼자 앉는다.              ㄴ. 목을 가눈다.
ㄷ. 기어서 이동하고 붙잡고 선다.
ㄹ. 걸을 수 있다.            ㅁ. 뛸 수 있다.

① ㄱ→ㄴ→ㄷ→ㄹ→ㅁ      ② ㄱ→ㄴ→ㄹ→ㅁ→ㄷ
③ ㄴ→ㄱ→ㄷ→ㄹ→ㅁ      ④ ㄴ→ㄷ→ㄹ→ㅁ→ㄱ
⑤ ㄷ→ㄹ→ㅁ→ㄱ→ㄴ

**05** <보기>의 (가)와 (나)에서 설명하는 영아기 발달의 특징을 바르게 짝지은 것은?

┤ 보기 ├

(가) 물체가 보이지 않거나 소리가 들리지 않아도 존재하고 있다는 것을 안다.

(나) 아기와 양육자 사이에 형성되는 정서적 친밀감과 유대감으로 이것이 형성되면 낯가림과 분리 불안이 나타난다.

|  | (가) | (나) |
|---|---|---|
| ① | 대상 영속성 | 애착 |
| ② | 대상 영속성 | 자아 존중감 |
| ③ | 대상 영속성 | 자아 정체감 |
| ④ | 애착 | 대상 영속성 |
| ⑤ | 애착 | 자아 정체감 |

**06** 영아기 자녀 돌보기와 부모 역할에 대한 다음 설명에서 ㉠과 ㉡에 들어갈 말을 쓰시오.

출생 후 1년 동안 신체와 ( ㉠ )의 성장이 급속도로 이루어지는 시기이므로, 부모는 다양한 ( ㉡ )을/를 통해 영아의 감각을 지속적으로 자극하고 활발한 언어적 상호 작용이 이루어질 수 있게 해야 한다.

**07** 유아기 발달의 특징으로 적절하지 <u>않은</u> 것은?

① 영아기보다 신체적 성장 속도가 증가한다.
② 언어, 인지, 운동 능력 등이 크게 발달한다.
③ 끊임없이 움직이며 주변 사람들과 반응한다.
④ 부모 및 또래와의 대화를 통해 자율적인 존재로 성장한다.
⑤ 상상력이 풍부해지는 등 인지적 성장이 빠르게 이루어진다.

**08** <보기>와 같은 언어 발달이 나타나는 시기로 옳은 것은?

┤ 보기 ├

• 사용하는 어휘수가 급격히 늘어난다.
• 부사와 형용사 등을 사용하여 다양한 문장을 구사하게 된다.
• 자기중심적 언어를 사용한다.

① 영아기　　② 유아기　　③ 아동기
④ 신생아기　　⑤ 청소년기

**09** 유아기의 주된 부모 역할로 옳은 것은?

① 훈육자로서의 역할을 수행한다.
② 양육자로서의 역할을 수행한다.
③ 수용적인 태도로 신뢰감을 형성할 수 있도록 돕는다.
④ 기본적인 욕구를 충족시켜주고 적절한 신체 접촉이 필요하다.
⑤ 스스로 옳고 그름을 판단할 수 있도록 지나친 간섭을 하지 않는다.

**10** 아동기에 나타나는 인지 발달로 볼 수 <u>없는</u> 것은?

① 보존 개념을 획득한다.
② 상징적 사고가 나타난다.
③ 가역적 사고를 할 수 있게 된다.
④ 주의 집중력과 기억력이 좋아진다.
⑤ 규칙에 따라 물건을 분류할 수 있다.

**11** 아동기 자녀의 부모 역할에 대한 다음 설명에서 ㉠과 ㉡에 들어갈 말을 쓰시오.

아동에게 적절한 수준의 과제를 다양하게 제공하여 ( ㉠ )의 경험을 많이 갖도록 하여 주변 사람들에게 인정을 받게 되면 매사에 더 열심히 하려는 ( ㉡ )이 발달한다.

**12** 가족 문화에 대한 설명으로 적절하지 <u>않은</u> 것은?

① 건강한 가족 문화는 사회 건강의 기초가 된다.
② 가족 제도가 약화되면서 가족 문화의 필요성이 증가하였다.
③ 정서적 유대와 생활의 안정을 함께 만들어 간다는 목표를 가지고 있다.
④ 가족들이 가정생활과 관련된 가치, 태도 등을 공유하는 문화를 의미한다.
⑤ 현대 사회는 가족 관계보다 가족 형태가 더 중요하므로 획일화된 문화가 나타나기 쉽다.

**01** 아버지 효과에 대한 설명으로 적절하지 <u>않은</u> 것은?

① 결과를 가지고 구체적으로 칭찬해야 한다.
② 자녀의 사회성, 진취성, 적극성이 높아진다.
③ 아이와 몸 놀이를 자주하면 효과가 높아진다.
④ 자녀의 발달에 아버지가 끼치는 영향력을 말한다.
⑤ 아이를 품에 안고 자주 책을 읽어 주는 것도 좋은 방법이다.

중요
**02** 신생아의 발달 특징으로 가장 적절한 것은?

① 평상 시 손바닥을 펼치고 있다.
② 머리의 대천문이 닫혀 뇌를 보호한다.
③ 입술 주위와 혀의 감각이 잘 발달되어 있다.
④ 시각의 발달로 사물의 움직임에 따라 고개를 돌린다.
⑤ 출산과 함께 탯줄이 떨어지고 그 자리에 배꼽이 생긴다.

**03** <보기>의 신생아를 목욕시키는 순서가 바르게 나열된 것은?

┤ 보기 ├

ㄱ. 약 38~40℃의 물을 욕조의 절반 정도 채운다.
ㄴ. 아기를 욕조에 넣기 전에 머리를 감긴다.
ㄷ. 목욕 수건으로 온몸을 싸서 물기를 닦아 준다.
ㄹ. 다리부터 물에 넣고, 몸의 위부터 아래로 씻긴다.
ㅁ. 왼손으로 목과 가슴을 단단히 받치고 뒤돌려 씻긴다.

① ㄱ → ㄴ → ㄷ → ㄹ → ㅁ
② ㄱ → ㄴ → ㄹ → ㅁ → ㄷ
③ ㄴ → ㄱ → ㄷ → ㄹ → ㅁ
④ ㄴ → ㄷ → ㄹ → ㅁ → ㄱ
⑤ ㄱ → ㄹ → ㅁ → ㄴ → ㄷ

**04** 다음과 같은 현상이 나타나는 이유로 적절한 것을 <u>모두</u> 고르시오.

> 신생아는 출생 시 2.5~4.0kg의 체중인데, 출생 직후 체중이 감소한다.

① 태변 배설                  ② 배꼽 박탈
③ 신생아 황달              ④ 외부 자극 반사
⑤ 몸 표면의 수분 증발

**05** 그림에서 나타나는 신생아의 반사 행동의 이름으로 옳은 것은?

① 빨기 반사              ② 걷기 반사
③ 모로 반사              ④ 쥐기 반사
⑤ 바빈스키 반사

중요
**06** 출생 후 4주부터 24개월까지 시기의 발달 특징으로 옳은 것은?

① 민첩성과 유연성이 발달한다.
② 호기심이 발달하고, 상상력이 풍부해진다.
③ 울음, 표정, 몸짓 등으로 의사 표현을 한다.
④ 규칙에 따라 물건을 분류하거나 서열화할 수 있다.
⑤ 머리가 차지하는 비율이 작아지면서 균형 잡힌 신체를 형성한다.

**07** 이유식을 할 때 유의할 점으로 볼 수 <u>없는</u> 것은?

① 분유만으로 충분한 영양 공급이 어려워 시작한다.
② 이유식의 종류는 영아의 발달 정도에 따라 결정한다.
③ 부드러운 음식에서 점차 단단한 음식으로 바꾸면서 양도 늘려 나간다.
④ 과일, 채소, 생선부터 시작하여 쌀미음, 죽, 밥의 순서대로 진행한다.
⑤ 모유만으로는 6개월 이후 영아의 발달에 필요한 영양 공급이 충분치 않게 된다.

**08** 그림과 같은 행동이 나타나는 자녀의 발달 단계와 사고 유형을 바르게 연결한 것은?

① 아동기 - 상징적 사고
② 영아기 - 상징적 사고
③ 영아기 - 물활론적 사고
④ 유아기 - 물활론적 사고
⑤ 아동기 - 자기중심적 사고

중요

**09** 유아를 돌보는 방법에 대한 설명으로 적절한 것을 <보기>에서 <u>모두</u> 고른 것은?

┤ 보기 ├
ㄱ. 배변 훈련을 시작한다.
ㄴ. 반복적인 질문에도 성실하게 답해 준다.
ㄷ. 다양한 놀이보다는 정해진 한두 가지의 놀이를 제공한다.
ㄹ. 공동 생활에 필요한 질서, 규칙, 예절 등의 사회적 규범을 익히도록 지도한다.

① ㄱ, ㄴ        ② ㄱ, ㄷ        ③ ㄴ, ㄷ
④ ㄴ, ㄹ        ⑤ ㄷ, ㄹ

중요

**10** 그림에서 나타나는 아동기 인지 발달 특징을 바르게 나열한 것은?

(가)                    (나)

|   | (가) | (나) |
|---|---|---|
| ① | 보존 개념 | 추상적 사고 |
| ② | 보존 개념 | 가역적 사고 |
| ③ | 가역적 사고 | 보존 개념 |
| ④ | 가역적 사고 | 구체적 사고 |
| ⑤ | 비가역적 사고 | 추상적 사고 |

**11** <보기>의 대화에 나타난 아이의 발달 시기에 해당하는 부모 역할에 대한 설명으로 가장 적절한 것은?

┤ 보기 ├
• 엄마: 요새 우리 아이가 쓴 글을 보니 문장력이 많이 발달한 거 같아요.
• 아빠: 맞아요. 옆에서 지켜보니까 주의 집중력과 기억력도 많이 좋아진 거 같더군요.

① 안정적인 애착을 형성해야 한다.
② 칭찬과 격려로 학습 의욕을 북돋워 준다.
③ 손이 닿는 곳에 위험한 물건을 두지 않는다.
④ 다양한 음식을 맛 볼 수 있도록 이유식을 먹인다.
⑤ 식사, 수면, 청결 등에 관한 기본 생활 습관을 지도한다.

중요

**12** 건강한 가족 문화에 대한 설명으로 적절하지 <u>않은</u> 것은?

① 되도록 개인적인 시간을 많이 갖도록 한다.
② 부부가 평등하며 역할을 공평하게 분담한다.
③ 이웃과 책임감 있는 공동체 관계를 유지한다.
④ 가족원이 서로 애정과 감사한 마음을 잘 표현한다.
⑤ 위기 상황이 발생하면 효과적으로 대처할 수 있다.

**01** 다음 그림은 스턴버그의 사랑의 삼각형을 나타낸 것이다. ㄱ~ㄷ에 들어갈 말을 바르게 짝지은 것은?

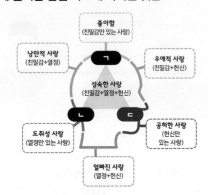

|  | ㄱ | ㄴ | ㄷ |
|---|---|---|---|
| ① | 열정 | 헌신 | 친밀감 |
| ② | 헌신 | 열정 | 친밀감 |
| ③ | 헌신 | 친밀감 | 열정 |
| ④ | 친밀감 | 열정 | 헌신 |
| ⑤ | 친밀감 | 헌신 | 열정 |

**02** 다음에서 설명하는 성 의식의 유형은?

> 두 개인 간에 사랑이 강한 애정을 기초로 합의가 이루어진다면 혼전 성관계도 가능하다고 보는 입장이다.

① 절제      ② 이중적 태도
③ 단일적 태도      ④ 애정적 허용
⑤ 비애정적 허용

**03** 결혼의 의무를 <보기>에서 모두 고른 것은?

| 보기 |

ㄱ. 동거의 의무      ㄴ. 협조의 의무
ㄷ. 부양의 의무      ㄹ. 정조의 의무
ㅁ. 자녀 출산의 의무      ㅂ. 사생활 보호의 의무

① ㄱ, ㄴ, ㄷ     ② ㄱ, ㄷ, ㄹ     ③ ㄷ, ㄹ, ㅁ
④ ㄷ, ㅁ, ㅂ     ⑤ ㄱ, ㄴ, ㄷ, ㄹ

**04** <보기>에서 결혼에 필요한 성숙이 부족한 부분을 모두 고른 것은?

| 보기 |

- 자녀를 출산하고 양육할 수 있을 만큼 신체적으로 성숙하고 건강하다.
- 자신의 선택에 책임지지 않으며 서로에 대한 이해심이 부족하다.
- 원만한 사회생활에 필요한 기본 지식과 행동 양식을 갖추었다.
- 부모로부터 독립하여 자신과 가족을 부양할 수 있는 준비가 되어 있다.

① 경제적 성숙
② 정신·정서적 성숙
③ 정신·정서적 성숙, 사회적 성숙
④ 신체적 성숙, 경제적 성숙, 사회적 성숙
⑤ 신체적 성숙, 정신·정서적 성숙, 경제적 성숙

**05** <보기>에서 법적으로 결혼이 불가능한 경우를 모두 고른 것은?

| 보기 |

ㄱ. 만 28세로 동갑인 지우와 서현이는 6촌 간인데 결혼하고자 한다.
ㄴ. 만 23세인 준기와 연희는 결혼하려고 하는데, 부모님께서 반대하신다.
ㄷ. 결혼을 약속한 상대방에게 이미 법적인 배우자가 있는 상태이다.
ㄹ. 성인인 철호와 미진이는 21촌 동성동본이다.

① ㄱ, ㄴ     ② ㄴ, ㄹ     ③ ㄱ, ㄷ
④ ㄷ, ㅁ     ⑤ ㄱ, ㄷ, ㄹ

**06** 결혼에 대한 바람직한 동기로 알맞은 것은?

① 사랑의 실현      ② 순간적인 열정
③ 지위 상승의 수단      ④ 반발에 의한 결혼
⑤ 동정에 의한 결혼

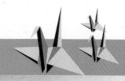

**07** 이성 교제의 기능으로 적절하지 **않은** 것은?

① 일상생활에 활기와 흥미를 불어 넣어 준다.
② 이성에 대한 기대를 조정하여 상대를 변화시킬 수 있다.
③ 사회인으로서 기대되는 성인 남녀의 역할을 배울 수 있다.
④ 자신에게 적합한 배우자를 선택하는 안목을 키울 수 있다.
⑤ 자신의 장단점을 파악하여 스스로에 대해 더 잘 알 수 있다.

**08** 책임 있는 부모가 되기 위한 정신·정서적 준비로 옳은 것은?

① 자녀 교육비 마련
② 건강을 위한 규칙적인 생활
③ 자녀 양육을 위한 일정한 소득
④ 독립된 성인으로서의 역할 수행
⑤ 자녀를 받아들이고 양육할 수 있는 마음가짐

**09** <보기>에서 엄마가 민주적 양육 태도를 가진 경우 빈칸에 들어갈 대화 내용으로 옳은 것은?

┤ 보기 ├
• 아들: 시험 점수가 안 나왔어요.
• 엄마: (                    )

① 수업 시간에 집중해서 들어라.
② 다음에도 점수가 나쁘면 가만있지 않을 거야.
③ 괜찮아. 다음 시험에는 좀 더 좋은 결과가 나올 거야.
④ 점수가 잘 나왔건 안 나왔건 관심이 없어. 네가 알아서 해.
⑤ 너무 속상하네. 엄마가 대신 점수를 올려줄 수 있는 방법이 없을까?

**10** 부모의 양육 태도에 대한 설명으로 옳은 것은?

① 익애적 부모는 자녀에게 무관심한 태도를 보인다.
② 방임적 부모는 자녀의 자율성을 존중하고 자녀와 타협을 통해 문제를 해결한다.
③ 권위주의적 부모는 자녀를 지나치게 걱정하고 보호하며 사소한 일에도 근심한다.
④ 자녀가 독립적이고 사회적 성취도가 높게 성장하기 위해서는 민주적인 양육 태도가 필요하다.
⑤ 부모의 양육 태도는 자녀의 성장을 돕지만 자녀의 가치관이나 행동에는 영향을 미치지 않는다.

**11** 임신과 출산의 사회적 의미로 옳은 것은?

① 사랑과 책임을 느낀다.
② 생명의 신비함을 경험한다.
③ 부모로서 인생의 새로운 시작이다.
④ 성숙한 인간이 되어 가는 과정이다.
⑤ 사회 유지 존속 및 발전에 기여한다.

**12** <보기>에서 설명하는 피임 방법은?

┤ 보기 ├
• 음경을 고무막으로 덮어 씌어 정자가 여성의 질 내로 들어가는 것을 막는다.
• 성병 및 에이즈를 막아준다.

① 콘돔　　　　② 난관 수술　　　③ 정관 수술
④ 응급 피임약　⑤ 월경 주기법

**13** 임신에 대한 설명으로 옳지 **않은** 것은?

① 양수는 외부의 충격으로부터 태아를 보호한다.
② 탯줄은 태아의 배꼽과 태반을 연결하는 끈이다.
③ 임신 기간은 마지막 월경일로부터 280일 정도이다.
④ 태아의 발달 과정은 발아기, 배아기, 태아기로 나눌 수 있다.
⑤ 정자와 난자가 결합하여 수정란이 되고, 자궁 내벽에 착상할 때까지의 과정이다.

**14** 임신 중 모체에서 일어나는 현상으로 보기 <u>어려운</u> 것은?

① 월경이 멈춘다.
② 입덧과 구토를 한다.
③ 체내 지방이 줄어든다.
④ 감정의 기복이 심해진다.
⑤ 배가 불러오면서 요통이 나타난다.

---

**자주 출제되는 문제**

**15** <보기>의 설명에 해당하는 임신 중 시기는?

┤ 보기 ├
- 태아: 시신경이 발달한다.
- 모체: 자궁이 방광을 압박해 소변보는 횟수가 잦아진다.

① 2~8주      ② 3~4개월      ③ 5~6개월
④ 7~8개월      ⑤ 9~10개월

---

**16** 태아 성장을 돕는 모체의 기관과 그 역할이 바르게 연결된 것은?

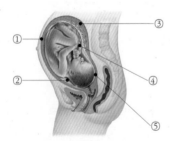

① - 적절한 온도로 유지해 준다.
② - 노폐물의 이동 통로이다.
③ - 항균 및 해독 작용을 한다.
④ - 무색투명한 양수로 채워져 있다.
⑤ - 착상한 수정란이 태아로 자란다.

---

**17** 그림에 해당하는 쌍둥이의 종류와 설명이 바르게 연결된 것은?

① 일란성 쌍둥이 - 1개의 난자가 2개의 정자와 수정한다.
② 일란성 쌍둥이 - 수정란이 발생 중에 둘로 나뉜다.
③ 일란성 쌍둥이 - 2개의 난자가 각각 1개의 정자와 수정한다.
④ 이란성 쌍둥이 - 1개의 난자가 1개의 정자가 수정한다.
⑤ 이란성 쌍둥이 - 각각의 수정란이 별개의 태아로 발생한다.

---

**틀리기 쉬운 문제**

**18** 그림에 해당하는 시기의 모체 변화에 대한 설명으로 옳은 것은?

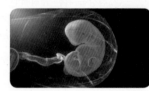

① 임신선이 뚜렷해진다.
② 감정의 기복이 심해진다.
③ 소변보는 횟수가 잦아진다.
④ 태반이 생겨나면서 유산의 위험이 줄어든다.
⑤ 자궁이 커져 위나 심장을 눌러 가슴이 답답해진다.

---

**19** 출산 예정일이 가까워질 때 나타나는 모체의 변화로 가장 적절한 것은?

① 태아가 위로 올라간다.
② 소변의 횟수가 늘어난다.
③ 태아의 움직임이 늘어난다.
④ 위가 작아져 식사 양이 줄어든다.
⑤ 주기적인 진통이 3주 이상 지속된다.

**20** 신혼부부의 부인인 김 씨는 임신 전 마지막으로 11월 5일에 월경을 하였다. 김 씨의 출산 예정일은?

① 내년 8월 10일
② 내년 8월 11일
③ 내년 8월 12일
④ 내년 8월 13일
⑤ 내년 8월 14일

**21** 그림은 출산 과정의 일부를 나타낸 것이다. 이 시기에 대한 설명으로 옳은 것은?

① 자궁 경부가 좁아진다.
② 진통이 가장 심한 시기이다.
③ 태아 머리가 산도로 내려온다.
④ 자궁 수축에 의해 태반이 떨어져 나온다.
⑤ 규칙적인 자궁 수축으로 인한 진통이 나타난다.

**22** <보기>에서 바람직한 출산 과정에 대한 설명으로 보기에 거리가 먼 것은?

┤ 보기 ├

ⓐ 산모와 가족은 경건한 마음으로 출산을 준비한다. ⓑ 출산에 임할 때에는 전적으로 병원을 믿고 맡긴다. ⓒ 산모는 스스로 출산의 주체임을 알고 적극적으로 출산에 임한다. ⓓ 진통의 긴 시간이 아기를 위해 중요한 시간임을 안다. ⓔ 의료진은 인내하고 기다리며 최소한의 스트레스로 편안하게 아기가 태어나도록 도와준다.

① ⓐ      ② ⓑ      ③ ⓒ
④ ⓓ      ⑤ ⓔ

**23** 모유 수유의 장점으로 보기 어려운 것은?

① 산모의 자궁 수축을 돕는다.
② 모유의 영양 성분은 일정하다.
③ 아기의 정서적 안정을 돕는다.
④ 질병으로부터 아기를 보호한다.
⑤ 소화와 흡수가 좋고 배변도 잘 된다.

자주 출제되는 문제

**24** <보기>에서 신생아에 대한 내용으로만 모두 고른 것은?

┤ 보기 ├

ㄱ. 손과 눈의 협응이 잘 이루어진다.
ㄴ. 대부분의 시간을 잠을 자며 보낸다.
ㄷ. 감각과 운동에 기초한 사고 능력이 발달한다.
ㄹ. 외부 자극에 일정한 반사 행동을 보인다.
ㅁ. 대상 영속성을 획득하게 된다.

① ㄱ, ㄴ      ② ㄱ, ㄷ      ③ ㄴ, ㄷ
④ ㄴ, ㄹ      ⑤ ㄱ, ㄹ, ㅁ

**25** 영아의 발달에 대한 특징으로 적절하지 않은 것은?

① 영아기에 뇌의 성장이 급속도로 이루어진다.
② 영아의 발달 단계에 따른 발달 속도는 일정하다.
③ 놀이를 통해 영아의 감각을 지속적으로 자극한다.
④ 적절한 신체 접촉은 안정적인 애착을 형성하게 한다.
⑤ 배변 훈련은 영아의 성격 발달에 많은 영향을 미친다.

**26** <보기>에서 유아기 언어 발달의 특징으로만 묶은 것은?

┤ 보기 ├
ㄱ. 사회적 언어를 이해한다.
ㄴ. 자기중심적 언어를 사용한다.
ㄷ. 사용하는 어휘의 수가 급격히 늘어난다.
ㄹ. 울음, 표정, 몸짓 등으로 의사 표현을 한다.
ㅁ. 옹알이를 시작하며 문장을 순서에 따라 이어간다.

① ㄱ, ㄴ　　　② ㄱ, ㄷ　　　③ ㄴ, ㄷ
④ ㄴ, ㄷ, ㅁ　　⑤ ㄴ, ㄹ, ㅁ

**27** 유아의 놀이 단계를 <보기>에서 순서대로 바르게 나열한 것은?

┤ 보기 ├
ㄱ. 연합 놀이　　　ㄴ. 병행 놀이
ㄷ. 협동 놀이　　　ㄹ. 혼자 놀이
ㅁ. 방관자적 놀이

① ㄱ-ㄴ-ㄷ-ㄹ-ㅁ　　② ㄴ-ㄱ-ㅁ-ㄷ-ㄹ
③ ㄷ-ㄴ-ㄱ-ㄹ-ㅁ　　④ ㄹ-ㅁ-ㄱ-ㄴ-ㄷ
⑤ ㅁ-ㄹ-ㄴ-ㄱ-ㄷ

**28** 아동기의 사회·정서적 발달의 특징으로 적절하지 않은 것은?

① 정서적으로 안정되어 있다.
② 또래와의 교류를 통해 타인의 관점을 이해한다.
③ 자신의 감정을 조절하고 타인을 이해하는 능력이 발달한다.
④ 단체 놀이를 통해 단체 생활의 규칙과 질서를 배울 수 있다.
⑤ 자율적 도덕성이 발달하면서 행동의 결과에 의해 옳고 그름을 판단한다.

## 서술형 문제

**29** 부모가 갖는 역할과 책임을 두 가지 이상 쓰고, 바람직한 부모가 되기 위한 방안을 서술하시오.

**30** 임신 중 태교의 방법을 서술하시오.

**31** 신생아의 생존 반사와 원시 반사의 의미를 서술하시오.

**32** 조부모를 위한 가족 문화 실천 방안을 서술하시오.

**융합 논술형 문제**

부모와 자녀 사이의 대화에 관한 다음 그래프와 글을 읽고, 물음에 답하시오.

(가)

부모와 고민에 대한 대화를 나누는 횟수 (단위: %)

| | |
|---|---|
| 거의 없다 | 34.3 |
| 월 1~3회 | 32.8 |
| 주 1~3회 | 18.2 |
| 매일 대화 | 8.0 |
| 주 4~6회 | 4.8 |

(나)

가족에 대하여 슈물리 보태악은 그의 저서 "유태인 가족 대화"에서 '밥상머리 교육'과 '가정에서 토크쇼 진행자가 되어야 하는 부모의 역할' 등을 이야기하면서 서로의 속내를 친구보다 더 편하게 털어놓을 수 있는 부모와 자녀의 관계는 더할 나위 없이 건강한 아이의 삶을 보장한다고 말하고 있다. 또 부모와 자녀들은 오직 대화를 통해 서로의 마음을 확인할 수 있다고 주장하였다.

01. 부모와 자녀 사이에 대화와 소통을 어렵게 하는 원인에 대해 서술하시오.

02. 부모와 자녀 사이에 대화와 소통을 위한 바람직한 자세에 대해 서술하시오.

# Ⅱ 가정생활과 안전

## 이 단원의 성취 기준과 학습 요소

| 중단원 | 소단원 | 성취 기준 | 학습 요소 |
|---|---|---|---|
| 01. 가정생활 | 1. 한식과 건강한 식생활 | · 한식의 우수성과 다른 나라의 식생활 문화를 설명할 수 있다.<br>· 현대의 식생활과 접목한 음식을 만들어 건강한 식생활을 실천할 수 있다. | – 한식의 우수성<br>– 다른 나라의 식생활 문화<br>– 한식을 응용한 음식 만들기 |
| | 2. 한복과 창의적인 의생활 | · 한복의 미적, 기능적 특징과 다른 나라의 의생활 문화를 설명할 수 있다.<br>· 현대 의복의 활용 방안을 탐색하여 창의적인 의생활을 제안할 수 있다. | – 한복의 우수성<br>– 다른 나라의 의생활 문화<br>– 창의적인 의생활 |
| | 3. 한옥과 친환경적인 주생활 | · 한옥의 가치와 다른 나라의 주생활 문화를 설명할 수 있다.<br>· 현대 주거 생활에서의 활용 방안을 탐색하여 건강하고 친환경적인 주생활을 실천할 수 있다. | – 한옥의 가치<br>– 다른 나라의 주생활 문화<br>– 친환경적인 주생활 |
| 02. 가족 안전 | 1. 가족의 생애 주기별 안전 | · 생애 주기별로 발생할 수 있는 생활 및 신변 안전사고의 원인과 영향을 분석할 수 있다.<br>· 개인·가족·사회적 차원에서 안전사고 예방 및 대처 방법을 탐색할 수 있다. | – 생활 안전사고<br>– 신변 안전사고<br>– 안전사고의 예방 및 대처 |
| | 2. 가족의 치유와 회복 | · 예기치 못한 가족 문제의 종류와 영향을 분석할 수 있다.<br>· 건강한 가족으로 회복하기 위한 치유 방안을 탐색할 수 있다. | – 가족 문제의 종류와 영향<br>– 건강한 가족으로의 회복과 치유 |

# II 가정생활과 안전

## 핵심 정리

## 1. 한식과 건강한 식생활

### ❶ 한식의 우수성

① **한식의 특성**
- ㉠ 주식과 부식으로 나뉘며, 주식의 종류에 따라 반상, 주안상, 교자상 등 다양한 상차림
- ㉡ 모두 한상에 차려 숟가락과 젓가락을 사용

② **한식의 우수성**
- ㉠ 발효 식품을[미생물이 자신의 효소로 유기물을 분해시켜 특유의 최종 산물을 만들어 내는 현상] 이용한 음식이 발달
- ㉡ 채식 위주의 식단   ㉢ 동물성 지방의 섭취가 적음.
- ㉣ 영양학적으로 우수하고 다양한 식품 섭취 가능

### ❷ 다른 나라의 식생활 문화

① **식생활 문화**: 식품을 조리, 가공하는 체계와 식사 행동 체계를 통합한 것[지형, 기후, 토양, 종교, 기술 등에 따라 다르게 나타난다.]

② **다른 나라의 식생활 문화**
- ㉠ **독일**: 소박한 음식 문화(슈바인학센, 감자 요리 등)
- ㉡ **터키**: 다양한 음식 문화(케밥, 양고기, 생선 튀김 등)
- ㉢ **프랑스**: 맛과 시각이 중요(푸아그라, 달팽이 요리 등)
- ㉣ **이탈리아**: 식재료가 풍부(파스타, 피자, 리소토 등)
- ㉤ **인도**: 종교 영향으로 채식주의자가 많음.(카레, 난 등)
- ㉥ **중국**: 기름, 조미료, 향신료 많이 사용(북경오리, 딤섬 등)
- ㉦ **베트남**: 쌀 요리 및 음료 문화 발달(쌀국수, 월남쌈 등)
- ㉧ **일본**: 향신료가 적고 담백한 맛과 차 문화 발달(초밥, 우동 등)
- ㉨ **멕시코**: 다양한 향신료 사용(토르티야, 타코, 부리토 등)
- ㉩ **알래스카**: 지역에 따라 주식의 종류가 다름(마땅고기, 연어, 송어, 순록 등).

### ❸ 건강한 식생활 실천

건강, 편의성, 다양성 등을 추구하는 식생활과 접목하여 한식을 다양하게 응용

## 2. 한복과 창의적인 의생활

### ❶ 한복의 우수성

① **미적 우수성**: 형태미, 색채미, 균형미 등

② **기능적 우수성**: 활동성과 기능성

### ❷ 다른 나라의 의생활 문화

① **의생활 문화**: 각 나라의 특색이 있는 의생활 양식

② **다른 나라의 의생활 문화**[역사, 관습, 기후, 신분, 종교 등의 영향을 받는다.]
- ㉠ **네덜란드**: 지역별로 다양(타이트 랩, 흉, 크롬펜)
- ㉡ **중국**: 다양한 의생활 문화(치파오, 황파오)
- ㉢ **독일**: 농부들의 편안한 복장(드린딜, 레더호젠)
- ㉣ **아랍권**: 이슬람교의 영향으로 전통 의상 착용(칸두라, 토브, 히잡, 니캅, 부르카)
- ㉤ **인도**: 힌두교의 영향(사리, 도티)
- ㉥ **일본**: 작은 체격의 결함을 보완(기모노, 유카타, 게다)
- ㉦ **베트남**: 고유의 전통 의상(아오자이, 논)
- ㉧ **멕시코**: 사막과 산이 많아 낮과 밤의 온도 차가 큼.(우이필, 쿼치케이틀, 레보조, 솜브레로, 후아라체, 판초)
- ㉨ **알래스카**: 추운 기후로 따뜻한 옷 착용(아노락, 무그루크)

### ❸ 창의적 의생활 실천

개량 한복, 전통 문양을 주제로 한 소품 등 다양하게 활용

## 3. 한옥과 친환경적인 주생활

### ❶ 한옥의 우수성

① **구조의 특징**: 지역별로 형태가 다르고 온돌과 마루 사용

② **소재의 특징**: 나무와 흙, 돌, 황토 등을 사용하여 자연과 조화를 이루고 곡선과 창호 등의 독창성

### ❷ 다른 나라의 주생활 문화[기후, 토양, 역사, 전통 등의 영향을 받는데 특히 기후의 영향이 가장 크다.]

① **주생활 문화**: 각 나라의 건축물과 주생활 양식

② **다른 나라의 주생활 문화**: 핀란드(통나무집), 중국(토루, 사합원), 스페인(공동 정원, 세라믹 타일), 터키(카파도키아 지하 도시, 돌산 동굴 주거, 샤프란볼루), 베트남(수상 가옥, 고상 가옥), 일본(다다미, 코다츠), 몽골(게르), 멕시코(흙집), 알래스카(이글루, 물개 가죽 텐트, 흙담식)

### ❸ 친환경적인 주생활 실천

황토, 숯으로 단열 처리한 거실 바닥, 맷돌로 만든 디딤석, 태양열 조명을 배치한 정원, 황토 벽돌로 마감한 거실 등

**스스로 활동 1**

교과서 62쪽

### 한복을 응용한 의복 디자인

다음의 그림은 전통 의상을 응용한 의복이다. 한복을 응용한 나만의 유니폼을 디자인해 보자.

· 내가 디자인한 유니폼

  1. 직업:

  2. 업무상 특성:

  3. 디자인 그리기

**예시 답안**

· 우리나라의 항공사 승무원 복장 디자인

· 관공서 직원들의 제복 디자인

· 우리 학교의 교복 디자인

 **스스로 활동 2**

교과서 63쪽

### 전통 문양을 이용한 생활 소품 만들기

전통 문양은 다양한 생활 소품(에코백, 실내화, 운동화, 휴대 전화 케이스 등)에 응용할 수 있다. 전통 문양을 이용한 선물용 봉투를 만들어 보자.

· 재료: 전통 무늬 패턴지, 색상 펠트지, 자수 실, 글루건, 가위, 기화성 펜, 바늘, 똑딱 단추

**예시 답안**

제시된 선물용 봉투 외에도 창의적으로 디자인하여 에코백, 동전지갑, 실내화, 운동화, 휴대 전화 케이스 등에 응용할 수 있다.

**스스로 활동 3**

교과서 68쪽

### 친환경적인 주생활 제안하기

다음은 주거의 평면도이다. 한옥의 우수성을 접목하여 각 공간별로 친환경적인 주생활 실천 방안을 제안해 보자.

**예시 답안**

· 베란다 공간을 툇마루로 구성하여 가족의 휴식처로 만들기

· 화학적 접착제로 붙인 바닥 대신 마루 깔기

· 현관문 또는 베란다 창 등에 풍경 달기

· 전통 문양을 이용한 인테리어 소품 이용하기

· 황토 벽지 사용하기

· 마감재 사용 시 천연 성분의 재료 이용하기

· 창문을 전통 창호로 바꾸기(나무와 한지 이용)

 **함께하는 활동**

교과서 54~55쪽

### 한식을 응용한 음식 만들기

한식을 현대의 식생활 흐름에 맞게 접목하여 건강한 식생활을 실천할 수 있도록 한식을 응용한 음식을 만들어 본다.

**구절판이 건강한 식생활에 적절한가**

· 건강: 다양한 재료를 활용하여 영양적으로 조화롭다.

· 편의성: 쉽게 구할 수 있는 재료나 각자의 취향에 맞게 변형이 가능하다.

· 다양성: 음식을 어떻게 차리느냐에 따라 재미가 있다.

**현대 식생활에 접목하여 활용하기**

· 밀전병 대용: 메밀전병, 소프트 타코, 무쌈, 라이스페이퍼 활용 등

· 담아내기: 큰 접시 활용

· 다양한 재료: 파프리카, 샐러리, 칵테일 새우, 오징어, 게살 등

· 소스: 겨자장, 초간장, 땅콩 소스, 해선장 등

큰 접시를 활용한 구절판

**활동 평가 기준**

| | |
|---|---|
| 상 | 구절판을 현대인의 식생활에 맞게 창의적으로 접목하여 음식의 색 배합과 맛 등이 좋고, 모둠원들이 협력하여 뒷정리를 깨끗하게 하였다. |
| 중 | 구절판을 현대인의 식생활에 맞게 창의적으로 접목하여 음식의 색 배합과 맛 등이 좋으나, 모둠원들의 협력과 뒷정리가 부족하였다. |
| 하 | 구절판을 현대인의 식생활에 맞게 접목하려 노력하였으나 음식의 색 배합과 맛 등이 좋지 않고, 모둠원들의 협력 및 뒷정리가 부족하였다. |

**1** 한식은 크게 주식과 부식으로 나눌 수 있다.

( O , X )

**2** 슈바인학센은 프랑스의 대표적인 음식이다.

( O , X )

**3** (                )은/는 우리의 관습, 사상, 삶의 모습을 담고 있는 전통 의복이다.

**4** 한복은 자연에서 얻은 재료와 색을 이용하여 빛깔이 곱고 (                )을/를 사용하여 화려하다.

**5** 한옥의 소재로 적절하지 않은 것은?

① 흙　　　　② 돌　　　　③ 나무
④ 황토　　　⑤ 콘크리트

**6** 이동이 편리하여 유목 생활에 적합한 몽골의 주거는?

① 게르　　　② 토루　　　③ 이글루
④ 통나무집　⑤ 수상 가옥

정답 1. ○ 2. X 3. 한복 4. 오방색 5. ⑤ 6. ①

정답 및 해설 **126**쪽

**01** 한식의 특징에 대한 설명으로 옳지 않은 것은?

① 건강을 생각한 채식 위주의 식단이다.
② 주식과 부식의 구별이 뚜렷하지 않다.
③ 김치, 장류 및 젓갈류 등의 발효 식품이 발달하였다.
④ 음식의 모양, 색, 맛의 조화가 있고 영양학적으로 우수하다.
⑤ 곡류, 채소류, 콩류, 어육류 등 다양한 식품 섭취가 가능하다.

**02** 다음에서 설명하는 한식의 종류는?

> 아홉 칸으로 나뉜 그릇의 명칭으로, 식재료에 한국 고유의 오방색을 표현하는 대표 음식이다. 그릇의 가장자리 칸에 채소와 고기 등의 음식을 담고, 가운데에 밀전병을 두어 양념장에 찍어 먹는다.

① 잡채　　　② 신선로　　　③ 구절판
④ 비빔밥　　⑤ 불고기

**03** 다음 설명의 빈칸에 들어갈 알맞은 말을 쓰시오.

> 미생물이 자신의 효소로 유기물을 분해 또는 변화시켜 특유의 최종 산물을 만드는 현상으로, (                ) 식품으로는 김치, 간장, 고추장, 된장, 청국장 등이 있다.

**04** 식생활 문화에 영향을 미치는 요인으로 가장 거리가 먼 것은?

① 기후　　　　　　② 지형
③ 종교　　　　　　④ 조리 도구
⑤ 식품 가공 기술

**05** 다음 그림과 같은 토르티야 음식이 발달한 나라는?

① 독일      ② 미국      ③ 프랑스
④ 멕시코      ⑤ 알래스카

**06** <보기>는 한복의 어떤 기능적 우수성을 설명한 것인가?

┤ 보기 ├

- 인체에 맞춘 곡선 바느질로 착용감이 좋고, 풍성한 치마와 바지는 몸을 구속하지 않아 움직임이 편하고 몸을 조이지 않는다.
- 보온성을 위해 여러 겹의 속옷을 겹쳐 입어도 실루엣에는 큰 변함이 없다.

① 형태미      ② 활동성      ③ 색채미
④ 실용성      ⑤ 균형미

**07** 한복을 화려하게 만드는 오방색에 포함된 색상이 <u>아닌</u> 것은?

① 청색      ② 백색      ③ 자색
④ 적색      ⑤ 흑색

**08** 여자 한복 저고리의 그림에서 화장에 해당하는 부분은?

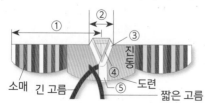

①      ②      ③
④      ⑤

**09** 각 나라의 전통 의상을 바르게 연결한 것을 <u>모두</u> 고르시오.

① 일본 - 사리      ② 인도 - 히잡
③ 베트남 - 아오자이      ④ 독일 - 아노락
⑤ 멕시코 - 솜브레로

**10** 한옥에 관한 설명으로 옳지 <u>않은</u> 것은?

① 지역별로 구조와 소재가 비슷하다.
② 지붕에 따라 초가집과 기와집이 있다.
③ 배산임수의 입지 조건을 중요시하였다.
④ 각 지역의 기후나 지형에 맞게 발달하였다.
⑤ 자연과 인간이 조화를 이루며 공존하는 방식으로 지어졌다.

**11** 적절한 높이로 습기를 방지하고 수해를 예방하며, 기둥 등의 내구성을 좋게 만드는 한옥의 한 구조는?

① 기단      ② 천장      ③ 처마
④ 지붕      ⑤ 마당

**12** 스페인의 주생활 문화에 대한 설명으로 적절한 것을 <보기>에서 <u>모두</u> 고른 것은?

┤ 보기 ├

ㄱ. 모래, 진흙, 풀을 주재료로 한 흙집이 발달하였다.
ㄴ. 여름이 덥고 건조하며, 햇빛이 강해 흰색이나 밝은색 벽을 사용한다.
ㄷ. 수상 가옥과 고상 가옥이 발달하였다.
ㄹ. 이슬람 문화와 스페인 문화가 결합한 공동 정원과 세라믹 타일이 발달하였다.

① ㄱ, ㄴ      ② ㄱ, ㄷ      ③ ㄴ, ㄷ
④ ㄴ, ㄹ      ⑤ ㄷ, ㄹ

**01** 한식의 우수성과 거리가 먼 것은?

① 채식 위주의 식단
② 음식의 모양, 색, 맛의 조화
③ 간편하고 능률적인 조리 방법
④ 동물성 지방의 사용이 적은 조리법
⑤ 발효 식품을 이용한 다양한 음식의 발달

**02** 열대 기후에 있는 나라의 음식 특성에 대한 설명으로 옳은 것은?

① 곡류와 채소를 이용한다.
② 향신료를 많이 사용한다.
③ 생선과 유제품을 이용한다.
④ 음식의 종류와 조리법이 다양하다.
⑤ 음식의 종류가 적고 맛이 담백하다.

**03** 그림과 같은 파스타 음식이 발달한 나라는?

① 독일　　　② 중국　　　③ 터키
④ 멕시코　　⑤ 이탈리아

**04** 그림과 같은 신선로 음식이 발달한 지역과 대표 음식을 바르게 연결한 것은?

① 서울시 - 탕평채, 화전
② 황해도 - 어복쟁반, 만두
③ 평안도 - 옥돔구이, 감귤
④ 강원도 - 임연수 구이, 산나물
⑤ 경상도 - 호박범벅, 도리뱅뱅이

**05** 다음은 한복의 어떤 기능적 우수성을 설명한 것인가?

> 평면 재단으로 여유분의 치수를 두고 만들어 감싸 입는 형태로, 품 조정이 쉬워 체형에 상관없이 입을 수 있다.

① 형태미　　② 활동성　　③ 색채미
④ 실용성　　⑤ 균형미

**06** 그림의 남자 한복 바지에서 마루폭에 해당하는 부분은?

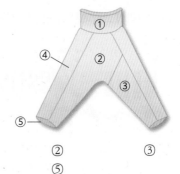

①　　　　　②　　　　　③
④　　　　　⑤

**07** 우리 조상들의 통과 의례에 따른 의복에 관한 설명으로 옳지 않은 것은?

① 남자가 성년에 이르면 상투를 틀고 갓을 쓰게 했다.
② 돌 때 남아는 색동저고리, 풍차바지에 복건을 씌웠다.
③ 상례 때 삼베로 지은 옷을 입고 문상객들을 맞이했다.
④ 제례 때 남자는 흰 두루마기나 도포를 입고 갓을 썼다.
⑤ 친척이나 가족이 돌아가셨을 때 입는 의복을 사모관대라고 한다.

**08** 어떤 나라의 전통 의상인지 각 그림과 나라를 바르게 연결한 것은?

(가) 타이트 랩        (나) 아오자이

| | (가) | (나) |
|---|---|---|
| ① | 네덜란드 | 베트남 |
| ② | 이탈리아 | 타이완 |
| ③ | 노르웨이 | 미얀마 |
| ④ | 스코틀랜드 | 라오스 |
| ⑤ | 슬로베니아 | 인도네시아 |

**09** 다음 중 네덜란드 전통 의복에 해당하는 것은?

① 황파오        ② 크롬펜        ③ 유카타
④ 무그루크      ⑤ 후아라체

**10** 한옥 구조의 특징에 대한 설명으로 옳은 것은?

① 한옥의 구조는 복층이다.
② 중부 지방은 ㄷ자 구조이다.
③ 지역에 따라 형태가 조금씩 다르다.
④ 남부 지방은 겹집으로 지붕이 낮다.
⑤ 북부 지방은 마루가 발달한 형태를 보인다.

**11** 다음과 같은 역할을 하는 한옥의 구조는?

> 적당한 기울기와 길이로 겨울에는 햇빛이 실내까지 들어오게 하고, 여름에는 빛을 차단하는 역할을 한다.

① 천장        ② 지붕        ③ 기둥
④ 처마        ⑤ 기단

**12** 그림과 같은 토루가 있는 나라의 주생활 문화의 특징으로 옳은 것은?

① 유목 생활로 이동이 편리해야 한다.
② 정원이나 동산 등 원림 예술이 발달하였다.
③ 이글루, 물개 가죽으로 만든 텐트 등이 있다.
④ 열대 기후 지역으로 수상 가옥과 고상 가옥이 발달하였다.
⑤ 화산 지형과 종교의 영향으로 다양한 도시 문화가 발달하였다.

**02. 가족 안전**

**핵심 정리**

## 1. 가족의 생애 주기별 안전

**❶ 생활 및 신변 안전사고의 의미** 일상생활에서 사고가 날 염려가 없도록 미리 대비하거나 준비하는 것.

① **생활 안전사고**: 일상생활 중 가정이나 학교 등에서 발생하는 안전사고

② **신변 안전사고**: 신체나 신체 주변과 관련되어 발생하는 안전사고 위험 상황과 폭력으로부터 자신의 몸과 마음을 안전하게 지키도록 준비하는 것

③ **생애 주기별 안전사고의 종류**: 영·유아 질식사나 유모차 사고 등과 같은 생활 안전사고와 아동 학대, 성폭력, 가정 폭력, 노인 학대 등과 같은 신변 안전사고

**❷ 안전사고 예방의 중요성**

① 어릴 때부터 형성된 안전에 대한 지식, 태도, 기능은 평생 동안 영향을 미침.

② 안전사고가 발생하지 않도록 생활 주변의 위험을 인식하고, 자신을 보호할 수 있는 안전한 행동 방법을 습득하는 것이 필요

**❸ 생애 주기별 안전사고의 원인과 종류**

① **영아기 생활 안전사고**
  ○ **원인**: 무엇이든 집어서 입으로 가져가려고 하고 주변을 탐색하는 등 활동량이 많은 시기로, 주로 양육자의 실수로 발생
  ○ **종류**: 영아 돌연사, 삼킴, 질식, 낙상, 익사, 끼임, 유모차 안전사고 등

② **유아기 생활 안전사고**
  ○ **원인**: 운동 신경과 대근육의 발달, 신체 활동과 실외 활동이 늘어나 안전사고 발생 가능성이 높아짐.
  ○ **종류**: 낙상, 추락, 화상, 찔림, 베임 등

③ **아동기 신변 안전사고**
  ○ **원인**: 의식주를 포함한 기본적 보호·양육·치료 및 교육을 소홀히 하는 방임 행위 등이 원인
  ○ **종류**: 실종, 유괴, 아동 학대 등

④ **청소년기 신변 안전사고**
  ○ **원인**: 성에 대한 왜곡된 정보, 성의 도구화, 성 상품화 등이 원인
  ○ **종류**: 성폭력, 학교 폭력, 가출 등

⑤ **성인기 신변 안전사고**
  ○ **원인**: 부부간 의사소통의 단절, 양성평등하지 않은 가족 문화, 분노 등 부정적인 감정을 표현하는 방법을 모를 때 발생
  ○ **종류**: 가정 폭력, 약물과 알코올 등 중독 문제 등

⑥ **노년기 신변 안전사고** 가족원 사이에 발생하는 신체, 정신, 재산상의 피해를 주는 행위
  ○ **원인**: 혼자 사는 노인의 증가, 자녀들의 과중한 부양 부담, 간호 제공자에게 의존하는 경향, 노인 복지 서비스의 제도적 미비 등이 원인
  ○ **종류**: 노인 학대, 금융 사기 등

## 2. 가족의 치유와 회복

**❶ 가족 문제의 종류와 영향**

① **우울증**: 외부에 대한 분노가 자신을 향할 때 발생하며 무기력감, 자해, 자살 등

② **신체적 장애**: 사고와 재해, 알코올 중독과 약물 오남용 등이 원인이며 치료비 등에 대한 부담, 돌봄 부양의 위기 등

③ **정신적 장애**: 노인성 치매, 알츠하이머, 파킨슨병 등이 원인이며 간병과 비용에 대한 부담이 증가하고 관계 훼손에 따른 고통, 방임 등과 같은 노인 학대 가능성이 증가

④ **가족 해체**: 사별과 이혼, 사고와 질병으로 인한 죽음 등으로 나타나며 심리·정서적 고통, 경제적 어려움을 동반하며 청소년 비행 가능성이 증가

⑤ **외상 후 장애**: 재난, 교통사고, 폭력 등이 외상의 원인이며, 악몽, 사고 회상, 우울, 불안, 공포 등

**❷ 건강한 가족으로의 회복과 치유**

① **가족 회복 탄력성**: 가족에게 어려움이 닥쳤을 때 가족의 장점을 끌어모아 힘을 합쳐 문제를 극복할 수 있는 능력

② **가족 회복 탄력성을 높이는 방안**
  ○ 가족의 심리·정서적 유대를 강화하여 가족 회복 탄력성을 높이고 문제 해결 방안을 탐색하여 가족의 도움을 적극적으로 요청
  ○ 자조 모임 등을 통해 느낌을 공유하고 개별 상담, 가족 상담 등으로 정서적 공감을 얻어 회복
  ○ 위기 가족에 대한 회복 지원 등 사회적 차원의 도움

**스스로 활동 1**

교과서 73쪽

### 소화기 사용법

분말 소화기의 사용법을 알고, 우리 주변에 분말 소화기가 설치된 장소를 찾아보자.

**활동 평가 기준**

| | |
|---|---|
| 상 | 분말 소화기의 사용법을 알고, 주변에 설치된 장소를 찾을 수 있다. |
| 중 | 분말 소화기의 사용법을 알지만, 주변에 설치된 장소를 찾을 수 없다. |
| 하 | 분말 소화기의 사용법을 알지 못하고, 주변에 설치된 장소를 찾을 수 없다. |

**스스로 활동 2**

교과서 74쪽

### 생활 안전사고 위험 요인과 예방법 찾기

다음은 영아 및 유아 돌보기 사례이다. 사례에서 위험 요인을 찾고 예방법을 생각해 보자.

**예시 답안**

· 영아기
- 위험 요인: 엎드려 재우기
- 예방법: 아기가 천장을 바라보게 눕혀서 재운다. 표면이 딱딱한 침구를 사용한다. 부모와 아기가 각자 다른 침대를 사용한다. 아기가 자는 방의 실내 온도가 높지 않도록 22~23℃를 유지한다. 예방 접종과 정기 검진을 잘 챙긴다. 등

· 유아기
- 위험 요인 : 유모차에 태워 계단 오르기
- 예방법 : 아이가 유모차에 타고 있을 때에는 안전띠를 매도록 한다. 보호자는 유모차에 타고 있는 아이를 계속 관찰한다. 엘리베이터를 이용하여 이동한다. 계단일 경우에는 아이를 유모차에서 꺼내 안고 유모차와 아이를 각각 따로 이동시킨다. 등

**스스로 활동 3**

교과서 77쪽

### 신변 안전사고 위험 요인과 예방법 찾기

다음은 각 생애 주기별로 발생할 수 있는 신변 안전사고에 대한 사례이다. 사례에서 위험 요인을 찾고 예방법을 생각해 보자.

**예시 답안**

· 아동기
- 위험 요인: 아동 학대, 방임
- 예방법: 의심이 가는 즉시 신고하여 조사하고 아동 학대인 경우에는 피해 아동을 보호하고 부모의 상담 및 교육을 받게 한다. 부모가 아동을 돌보기 어려운 상태로 방임된 경우에는 사회적 돌봄을 지원한다.

· 청소년기
- 위험 요인: 데이트 폭력
- 예방법: 가해자는 자신의 분노를 조절하고 감정을 긍정적이고 자연스럽게 표현하는 방법을 배운다. 피해자는 피해 발생 시 반드시 신고하고, 가해자가 폭력을 멈추지 않고 같은 행동을 반복하는 경우에는 상대방과 만나지 않는다.

· 성인기
- 위험 요인: 가정 폭력
- 예방법: 발견 즉시 신고한다. 남의 가정일이라고 망설이지 말고 사회적 책임감을 가지고 적극적으로 개입한다. 미약한 경우에는 부부 교육을 받고, 그 정도가 심각한 경우에는 쉼터에 피해자를 격리하고 가해자를 처벌한다.

· 노년기
- 위험 요인: 노인 학대, 방임
- 예방법: 사회적 돌봄 서비스를 신청하여 낮 동안 노부모를 지원할 수 있는 방법을 모색한다.

**스스로 활동 4**

교과서 79쪽

### 가족 회복 탄력성 높이기

1. 그림은 가트맨 박사가 제시한 '건강한 관계의 집'이라는 7단계의 관계 모델이다. 건강한 가족 문화의 집을 짓기 위한 가장 기초 공사인 사랑의 지도를 만들기 위해 가족원에게 다음과 같은 질문을 해 보자.
2. 이웃의 아픔에 공감하고 도움을 주고 요청하기

**예시 답안**

· 도움 주기: 영훈이의 아버지의 일자리를 알아본다. 막내의 읽기와 쓰기 등의 학습을 돕는다. 어른들에게 영훈이네 상황을 알리고 수술비에 보탤 수 있게 비용을 모아 드린다.

· 도움 요청하기: 장애 수당을 받고 장애인 의료비 지원과 가사 간병 방문 지원을 신청한다. 발달 재활 서비스를 신청한다. 아이 돌봄 서비스를 신청한다. 원 클릭 교육 서비스를 신청하여 영훈이와 형의 학비를 지원받는다. 형은 대학생 근로 장학금을 신청한다. 통합 문화 이용권을 신청한다(교과서 89쪽 참고).

**1** 생활 안전사고의 종류에는 아동 학대, 성폭력, 가정 폭력, 노인 학대 등이 있다.

( O , X )

**2** 골절 시에는 뼈와 인대가 움직이지 않게 부상 부위를 고정시켜야 한다.

( O , X )

**3** (          )기에 발생할 수 있는 신변 안전사고의 종류로는 가정 폭력, 약물과 알코올 등에 의한 중독 문제가 있다.

**4** (          )은/는 가족원 사이에 발생하는 신체, 정신, 재산상의 피해를 주는 행위를 의미한다.

**5** 아동기에 발생할 수 있는 신변 안전사고의 종류로 옳은 것은?
① 낙상                    ② 삼킴
③ 질식                    ④ 아동 학대
⑤ 유모차 안전사고

**6** 외상 후 장애로 나타날 수 있는 영향으로 가장 적절하지 <u>않</u>은 것은?
① 악몽          ② 우울          ③ 불안
④ 재난          ⑤ 사고 회상

정답  1. X 2. O 3. 청년 4. 가정 폭력 5. ④ 6. ④

기초 다지기 문제

정답 및 해설 **127**쪽

**01** 안전과 안전사고에 대한 설명으로 옳지 <u>않</u>은 것은?
① 생활 안전사고에는 영·유아 질식사, 유모차 사고 등이 있다.
② 생활 안전이란 일상생활에서 사고가 날 염려가 없도록 미리 대비하는 것이다.
③ 일상생활 중 가정이나 학교 등에서 발생하는 안전사고를 신변 안전사고라고 한다.
④ 안전사고가 발생하였을 때 자신을 보호할 수 있는 안전한 행동 방법을 습득하는 것이 필요하다.
⑤ 신변 안전이란 위험 상황과 폭력으로부터 자신의 몸과 마음을 안전하게 지키도록 준비하는 것이다.

**02** 다음과 같은 안전사고가 발생할 수 있는 생애 주기로 옳은 것은?

> 낙상, 추락, 화상, 찔림, 베임 등

① 영아기          ② 유아기          ③ 아동기
④ 청소년기        ⑤ 노년기

**03** 영아기 생활 안전사고를 예방하고 대처하는 방안에 대한 설명으로 옳지 <u>않</u>은 것은?
① 영아 돌연사를 예방하기 위해 엎드려 재우지 않는다.
② 집안 바닥을 깨끗이 치워 삼킬 만한 물건을 두지 않는다.
③ 치아가 부러졌을 때는 생리 식염수나 우유에 담근 상태로 병원에 옮긴다.
④ 양육자의 실수가 주된 원인이 되므로 아이를 주의 깊게 관찰하고 혼자 두지 않는다.
⑤ 이물질이 목에 걸렸을 때는 심폐 소생술로 명치를 압박하여 이물질을 내뱉게 해야 한다.

**04** 생애 주기별 안전사고에 대한 다음 설명에서 ㉠과 ㉡에 들어갈 말을 쓰시오.

> ( ㉠ )기는 성에 대한 호기심이 크고 또래 동조 성향이 강하며, 부모로부터 독립하려는 의지가 강한 시기이다. 발생할 수 있는 ( ㉡ ) 안전사고의 종류에는 성폭력, 학교 폭력, 가출 등이 있다.

**05** 아동 학대가 아동에게 미치는 영향으로 가장 옳지 <u>않은</u> 것은?

① 피해 아동의 자존감이 낮아진다.
② 양육자에 대한 신뢰감이 파괴된다.
③ 시간이 갈수록 피해 정도가 줄어든다.
④ 피해 아동의 비행 가능성이 증가한다.
⑤ 아동 학대가 다음 세대로 대물림 될 수 있다.

**06** <보기>에서 아동 학대를 예방하고 대처하기 위한 가족의 노력에 해당하는 것을 <u>모두</u> 고른 것은?

┤ 보기 ├
ㄱ. 자녀를 소유물로 생각하지 않기
ㄴ. 아동 학대 처벌법 강화
ㄷ. 자녀에 대한 현실적인 기대 수준 갖기
ㄹ. 아동 학대 예방을 위한 부모 교육 의무화

① ㄱ, ㄴ          ② ㄱ, ㄷ          ③ ㄴ, ㄷ
④ ㄴ, ㄹ          ⑤ ㄷ, ㄹ

**07** 성폭력의 예방 및 대처 방법에 대한 설명으로 옳지 <u>않은</u> 것은?

① 거절 의사를 명확하게 표현한다.
② 피해 사실을 숨기지 말고 부모나 교사에게 알린다.
③ 호루라기, 호신용 스프레이 등의 호신 물품을 휴대한다.
④ 즉시 옷을 갈아입고 청결하게 씻은 후, 병원 진료를 받는다.
⑤ 112 경찰에 신고하거나 1366 여성 긴급 전화로 도움을 요청한다.

**08** 가정 폭력을 예방하기 위한 방안으로 옳지 <u>않은</u> 것은?

① 건강한 가족 문화를 만들기 위해 노력한다.
② 효과적인 대화를 위한 의사소통 방법을 배운다.
③ 열린 대화를 통해 서로를 이해하려고 노력한다.
④ 부정적인 감정은 물론 긍정적인 감정도 표현한다.
⑤ 원만한 가족 분위기를 위해 가족원의 요구를 무조건 맞춰야 한다.

**09** 노인 학대에 대한 설명으로 옳지 <u>않은</u> 것은?

① 혼자 사는 노인 인구가 증가하면서 노인 학대가 늘고 있다.
② 노인 학대 재발을 방지하기 위해 노인 학대 예방 교육이 필요하다.
③ 노인에게 신체적·정서적·성적·경제적 학대를 하는 것을 의미한다.
④ 사회 활동이 줄고 신체 건강이 약해져 사람에 대한 의존도가 줄어든다.
⑤ 노인 학대를 예방하기 위해 노인은 사회적 관계망을 유지하여 고립되지 않도록 노력해야 한다.

**10** 다음에서 설명하는 가족 문제의 종류는?

총체적인 의욕의 쇠퇴와 깊은 공허 및 무기력에 시달리게 된다. 또한 외부 대상에 대한 분노와 증오가 심한 경우 자기 자신으로 향하는 가학증으로 나타나면서 자살에까지 이를 수 있다.

① 이혼                    ② 치매
③ 우울증                  ④ 정신적 장애
⑤ 가족원의 죽음

**11** 건강한 가족으로의 회복과 치유에 대한 다음 설명에서 ㉠과 ㉡에 들어갈 말을 쓰시오.

가족 문제를 해결하고 건강한 가족으로 회복하기 위해서는 가족의 심리 정서적 ( ㉠ )을/를 강화하여 가족 회복 ( ㉡ )을/를 높이고, 문제 해결을 위한 방안을 탐색하여 가족의 도움을 적극 요청한다.

**01** 가족생활과 관련된 안전사고에 대한 설명으로 옳지 <u>않은</u> 것은?

① 안전사고를 막기 위해서는 대처 요령을 미리 습득해야 한다.
② 생애 주기별로 생활 및 신변 안전에 관한 안전 교육이 필요하다.
③ 어릴 때부터 형성된 안전에 대한 태도는 평생 영향을 미칠 수 있다.
④ 가족의 상해, 사망 그리고 가정 시설의 상실과 재산상의 손해를 가져온다.
⑤ 가정에서의 생활 안전사고는 사고가 발생하기 전에 예방하는 것이 어렵다.

**중요**
**02** 다음의 특징을 갖는 생애 주기는?

> 호기심이 많아 무엇이든 집어서 입으로 가져가려 하고 주변을 탐색하여 활동량이 많아지는 시기이다.

① 영아기　　　② 유아기　　　③ 아동기
④ 청소년기　　⑤ 성인기

**03** 영·유아 돌연사를 예방하는 방안에 대한 설명으로 옳은 것은?

① 표면이 푹신한 침구를 사용한다.
② 임신 중 흡연은 영향을 미치지 않는다.
③ 아기가 천장을 바라보게 눕혀서 재운다.
④ 모유나 분유를 먹일 때는 누운 채로 먹인다.
⑤ 부모와 아기가 한 방에서 잘 때에는 같은 침대를 사용한다.

**중요**
**04** 그림과 설명에 해당하는 응급 처지 방법은?

영아의 목에 이물질이 걸렸을 때는 한 손으로 영아의 턱과 가슴을 받친 자세에서 영아의 어깨뼈 사이를 5회 정도 두드려 내뱉게 한다.

① 지혈　　　　② 압박　　　　③ 인공호흡법
④ 하임리히법　　⑤ 심폐 소생술

**05** <보기>에서 아동 학대의 원인을 <u>모두</u> 고른 것은?

> **보기**
> ㄱ. 자녀에 대한 비현실적인 기대
> ㄴ. 훈육을 이유로 체벌하는 문화
> ㄷ. 성에 대한 왜곡된 정보
> ㄹ. 양성평등한 가족 문화

① ㄱ, ㄴ　　　② ㄱ, ㄷ　　　③ ㄴ, ㄷ
④ ㄴ, ㄹ　　　⑤ ㄷ, ㄹ

**06** 다음과 같은 상황을 예방하거나 대처하기 위한 방법으로 옳지 <u>않은</u> 것은?

> B의 남자 친구는 평소에는 B를 공주처럼 떠받들어 주다가도 싸울 때면 집에 가지 못하게 잡고, 감정이 격해지면 욕하면서 물건을 부순다. 그러나 진정이 되면 무릎을 꿇고 잘못했다며 용서를 빈다.

① 피해 발생 시 반드시 신고한다.
② 처음 한두 번은 그냥 조용히 넘어간다.
③ 자신이 진심으로 원하는 것을 상대방에게 말한다.
④ 112 경찰에 신고하거나 1366 여성 긴급 전화로 도움을 요청한다.
⑤ 자신의 분노를 조절하고 감정을 긍정적으로 표현하는 방법을 배운다.

**07** 그림에서 추론할 수 있는 가정 폭력의 원인은?

① 의사소통의 단절
② 어린 시절 가정 폭력 경험
③ 폭력에 허용적인 사회적 요인
④ 양성평등하지 않은 가족 문화
⑤ 분노 등 부정적인 감정을 표현하는 방법을 모르는 경우

**08** 노인 학대를 예방하는 방법으로 옳지 <u>않은</u> 것은?

① 건강을 유지하도록 끊임없이 노력한다.
② 자녀 외에 사회적 관계에 관심을 갖는다.
③ 부양을 약속한 자녀에게 모든 재산을 상속한다.
④ 자책하지 말고 문제가 발생하면 도움을 청하고 신고한다.
⑤ 과거에 집착하지 말고 세상의 변화를 이해하려고 노력한다.

**09** 가족 문제에 대한 설명으로 옳은 것은?

① 예상이 전혀 불가능하다.
② 개인에게만 영향을 미친다.
③ 시간이 지나면 저절로 해결된다.
④ 해결 후에도 건강한 가족으로의 회복은 불가능하다.
⑤ 극복하는 과정에서 가족의 결속력이 강화될 수 있다.

**10** <보기>는 어떤 가족 문제가 가족에게 미치는 영향을 설명한 것이다. 가장 관계가 깊은 것은?

┤ 보기 ├

• 비탄, 상실과 허무, 고독이라는 상황에 빠진다.
• 경제적 역할상의 어려움을 느낄 수 있다.
• 고인에 대한 원망감이나 우울감, 외로움 등을 느끼기도 한다.

① 이혼
② 치매
③ 우울증
④ 정신적 장애
⑤ 가족원의 죽음

**11** 외상 후 장애를 겪는 사람이 받을 수 있는 복지 서비스와 거리가 <u>먼</u> 것은?

① 가족 상담
② 주거 개선
③ 취업 교육 알선
④ 방문 보호 서비스
⑤ 교육 및 문화 지원

**12** 다음 ㉠과 ㉡에 들어갈 알맞은 말을 바르게 짝지은 것은?

가족 ( ㉠ ) 탄력성은 가족에게 어려움이 닥쳤을 때 극복할 수 있는 가족의 능력을 말하는 것으로, 건강한 가족은 가족 간에 갈등이 생기면 자신의 ( ㉡ )을 끌어모아 힘을 합치고 문제를 해결해 나간다.

    ㉠    ㉡            ㉠    ㉡
① 회피  단점       ② 회복  장점
③ 극복  단점       ④ 공유  장점
⑤ 저항  단점

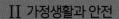 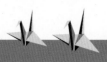
**01** 그림과 같은 어복쟁반 음식과 관련이 있는 지역의 식생활 문화 특징으로 옳은 것은?

① 쌀과 잡곡이 풍부하다.
② 산간 지대가 대부분으로 잡곡 생산량이 많다.
③ 바다와 산이 있어 해산물 및 산나물이 풍부하다.
④ 밭농사를 주로 하고 옥수수, 메밀, 감자 등이 유명하다.
⑤ 중국과의 교류로 음식을 크고 푸짐하게 차리는 특징이 있다.

자주 출제되는 문제

**02** 각 나라의 대표 음식을 바르게 연결한 것은?

① 터키 - 카레
② 인도 - 케밥
③ 베트남 - 파스타
④ 프랑스 - 푸아그라
⑤ 알래스카 - 슈바인학센

**03** 인도의 식생활 문화에 대한 설명으로 옳은 것은?

① 이슬람교의 영향을 받았다.
② 감자와 돼지고기가 주식이다.
③ 소박한 음식 문화를 갖고 있다.
④ 종교의 영향으로 채식주의자가 많다.
⑤ 기름, 조미료, 향신료를 많이 사용한다.

**04** 베트남의 식생활 문화에 대한 <보기>의 설명 중에서 적절한 것을 모두 고른 것은?

┤ 보기 ├
ㄱ. 농업과 축산업이 발달하였다.
ㄴ. 쌀 요리 및 음료 문화가 발달하였다.
ㄷ. 아시아의 주요 커피 생산국이다.
ㄹ. 수용적인 음식 문화로 맛과 시각을 중요시한다.

① ㄱ, ㄴ
② ㄱ, ㄷ
③ ㄴ, ㄷ
④ ㄴ, ㄹ
⑤ ㄷ, ㄹ

**05** 그림과 같은 북경오리 음식과 관련 있는 나라의 식생활 문화의 특징으로 옳은 것은?

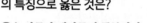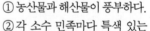

① 농산물과 해산물이 풍부하다.
② 각 소수 민족마다 특색 있는 식문화를 발달시켰다.
③ 대표 음식으로는 케밥, 양고기, 생선튀김 등이 있다.
④ 슈바인학센, 감자 요리, 소시지, 맥주 등이 대표적이다.
⑤ 다양한 향신료를 사용하여 독특한 향과 자극적인 맛이 난다.

**06** 편의성을 추구하는 현대 식생활을 한식에 적용한 예로 적절한 것은?

① 저열량 음식
② 한식 디저트 카페
③ 한식 테이블 세팅
④ 즉석 한식 메뉴 개발
⑤ 저염도 발효 식품 등장

정답 및 해설 **128**쪽

**07** 한복의 특징으로 옳지 <u>않은</u> 것은?

① 남녀별로 구분된다.
② 옷차림이 단정하고 우아하다.
③ 체형에 따라 치수가 다양하다.
④ 예복과 평상복으로 나누어진다.
⑤ 치마 또는 바지와 저고리로 이루어진다.

자주 출제되는 문제

**08** 한복의 미적 우수성에 대한 설명으로 옳은 것은?

① 직선으로만 이루어져 있다.
② 상의와 하의가 연결되어 있다.
③ 실루엣과 드레이프성이 일정하다.
④ 상의가 하의보다 풍성하게 보인다.
⑤ 자연에서 얻은 재료와 색을 사용하여 빛깔이 곱다.

**09** 다음에서 나열한 전통 의복과 관련이 깊은 통과 의례는?

> 원삼, 활옷, 스란치마, 한삼, 족두리

① 돌 　　② 관례 　　③ 혼례
④ 제례 　　⑤ 상례

**10** 한복에서 곡선미가 가장 잘 나타나는 부분은?

① 깃 　　② 배래 　　③ 고름
④ 고대 　　⑤ 화장

**11** <보기>의 설명 중 알래스카의 의생활 문화로 적절한 것을 <u>모두</u> 고른 것은?

┤ 보기 ├

ㄱ. 힌두교의 영향으로 바느질 없이 한 장의 천을 감아서 입는다.
ㄴ. 작은 체격의 결함을 보완하기 위한 의복이 발달하였다.
ㄷ. 아노락, 무그루크가 대표적인 옷이다.
ㄹ. 추운 기후로 인해 동물의 털이나 가죽으로 만든 따뜻한 옷을 착용한다.

① ㄱ, ㄴ 　　② ㄱ, ㄷ 　　③ ㄴ, ㄷ
④ ㄴ, ㄹ 　　⑤ ㄷ, ㄹ

**12** 그림과 같은 칸두라와 히잡 의복과 관련 있는 나라의 의생활 문화의 특징으로 옳은 것은?

① 4계절을 대비하기 위한 의복이 발달하였다.
② 소수 민족이 많아 다양한 의생활 문화를 가지고 있다.
③ 이슬람교의 영향으로 반드시 전통 의상을 착용해야 한다.
④ 더운 날씨와 중국, 프랑스의 영향을 받은 전통 의상이 발달하였다.
⑤ 농부들이 편하게 일하기 위해 입는 드린딜과 레더호젠이 대표적인 전통 의상이다.

**13** 그림과 같이 못을 쓰지 않고 나무를 깎아 끼워 연결하는 한옥의 건축 방법은?

① 온돌　　② 마루
③ 공포　　④ 창호
⑤ 기단

**14** <보기>에서 설명하는 한옥의 건축 재료는?

┤ 보기 ├
• 온도와 습도가 자동 조절되고 자연 환기 효과가 있다.
• 벽, 방바닥, 아궁이 등의 건축 재료로 쓰여 왔다.

① 흙　　　② 짚　　　③ 황토
④ 너와　　⑤ 한지

자주 출제되는 문제

**15** 다음과 같은 역할을 하는 한옥의 구조는?

백토를 깔아 여름에는 대류 현상으로 집 안에 외부의 시원한 바람이 들어오게 하고, 겨울에는 빛을 반사하여 실내로 많은 양의 빛이 유입되도록 한다.

① 마당　　　② 지붕　　　③ 온돌
④ 처마　　　⑤ 마루

**16** 그림과 같은 창호의 종류는?

① 아자창
② 용자창
③ 정자창
④ 완자창
⑤ 숫대살창

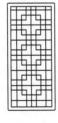

**17** 한옥의 지역별 구조의 특징을 옳게 설명한 것은?

① 남부형: 겨울의 폭설에 대비해 '우데기'라는 방설벽을 설치하다.
② 중부형: 난방과 통풍을 모두 고려하여 대청마루가 있는 ㄱ자형이다.
③ 제주형: 겨울 추위에 대비한 폐쇄적인 구조로 방과 부엌 사이에 정주간이 있다.
④ 북부형: 바람을 막기 위해 돌담집을 지었으며, 방 뒤쪽에 고팡을 두어 물건을 보관한다.
⑤ 울릉도형: 여름 더위나 습기를 극복할 수 있는 통풍을 위해 대청마루가 넓고 창문이 많다.

틀리기 쉬운 문제

**18** 다음 한옥의 구조와 소재의 특징을 설명한 것이다. 빈칸에 들어갈 말을 바르게 짝지은 것은?

온돌은 공기가 아닌 ( ㄱ )을 데워 실내 환경이 쾌적하고, 조리와 난방을 동시에 해결할 수 있게 하였다. ( ㄴ )는 나무로 만들어 지면의 습기가 닿지 않으며 바람을 통하게 함으로써 쾌적한 여름을 보낼 수 있게 해 준다. 한옥은 초가나 기와로 만든 지붕에서부터 아름다운 ( ㄷ )을 느낄 수 있고, 나무로 만든 ( ㄹ )는 부드럽고 따뜻한 느낌을 주며 여러 가지 형태로 발전되어 우리 조상들의 독창성을 느낄 수 있다.

|   | ㄱ | ㄴ | ㄷ | ㄹ |
|---|----|----|----|----|
| ① | 바닥 | 처마 | 직선 | 벽체 |
| ② | 바닥 | 마루 | 곡선 | 창호 |
| ③ | 바닥 | 처마 | 곡선 | 창호 |
| ④ | 천장 | 마루 | 직선 | 벽체 |
| ⑤ | 천장 | 마루 | 곡선 | 벽체 |

**19** <보기>와 같은 주생활 문화의 특징을 가진 나라는?

┤ 보기 ├
• 비와 눈, 잦은 지진 때문에 목재를 주로 사용한다.
• 통풍이 잘 되고 습기를 방지할 수 있게 건물을 높게 한다.

① 몽골　　　② 일본　　　③ 베트남
④ 스페인　　⑤ 핀란드

**20** 그림은 각각 어느 나라의 전통 주택인가?

(가) 수상 가옥       (나) 지하 도시

|     | (가)   | (나)   |
| --- | ------ | ------ |
| ①   | 터키    | 몽골    |
| ②   | 중국    | 일본    |
| ③   | 베트남  | 터키    |
| ④   | 멕시코  | 스페인  |
| ⑤   | 핀란드  | 알래스카 |

**21** <보기>와 같은 주거 특성을 지닌 기후는?

┤ 보기 ├
- 창문이 크고 많다.
- 활엽수 및 대나무를 이용한다.
- 높은 천장을 가지고 있고 건물 간격이 넓다.

① 건조 기후       ② 온대 기후
③ 냉대 기후       ④ 열대 기후
⑤ 해양성 기후

틀리기 쉬운 문제

**22** 다음에서 설명하는 안전과 관련 있는 사고로 옳지 <u>않은</u> 것은?

위험 상황과 폭력으로부터 자신의 몸과 마음을 안전하게 지키도록 준비하는 것

① 성폭력       ② 아동 학대       ③ 가정 폭력
④ 노인 학대       ⑤ 영·유아 질식사

**23** 영아기의 유모차 안전사고를 예방하는 방법으로 옳지 <u>않은</u> 것은?

① 가능한 엘리베이터를 이용하여 이동한다.
② 유모차의 손잡이를 한 손으로 밀지 않는다.
③ 유모차에 있는 아기를 계속해서 관찰한다.
④ 계단에서는 아기를 유모차에 태워 이동한다.
⑤ 아기가 유모차를 타고 있을 때는 안전띠를 매도록 한다.

**24** 다음 글에서 나타나는 아동 학대의 유형은?

정부의 미취학 아동 일제 조사에서 10남매 중 7명이 초등학교에 다니지 않은 가정이 발견되었다. 10남매의 부모는 빚에 쫓겨 생활하며 출생 신고를 미루다가 7명의 자녀를 학교에 보내지 못한 것으로 밝혀졌다.

① 방임                   ② 성적 학대
③ 신체적 학대        ④ 정서적 학대
⑤ 언어적 학대

자주 출제되는 문제

**25** 다음 신문 기사와 관계 깊은 노인 학대의 유형은?

한 요양원에서 일하는 C 요양 보호사(55)는 항상 치매 노인들에게 반말을 한다. 노인이 편식을 하면 "너, 이렇게 하면 앞으로 밥 안 준다."라며 윽박지르고, 노인이 소리를 지르면 화를 내며 욕설을 하기도 한다. 하지만 그는 이 같은 행동이 학대가 될 수 있다고 생각하지 않는다. 반말은 노인에 대한 친숙함의 표시라는 것이다.

- 출처: ○○일보 -

① 방임                   ② 유기
③ 성적 학대        ④ 정서적 학대
⑤ 신체적 학대

**26** 예기치 않은 가족 문제의 종류와 치유 방안에 대한 설명이 옳게 짝지어진 것은?

① 가족 해체 - 달라진 가족 관계를 인정하지 않는다.
② 치매 - 사회에서 제공하는 지원 서비스를 거부한다.
③ 외상 후 장애 - 비슷한 경험을 한 사람들과의 모임을 자제한다.
④ 가족원의 죽음 - 상담 등을 통해 심리 · 정서적으로 지지를 받는다.
⑤ 신체적 장애 - 스스로 극복할 수 있도록 주변 사람들의 도움을 거절한다.

**27** <보기>에서 노인성 치매로 인해 나타날 수 있는 영향을 모두 고른 것은?

┤ 보기 ├
ㄱ. 고통스런 악몽을 자주 꾼다.
ㄴ. 방임 등의 학대가 발생할 수 있다.
ㄷ. 간병과 비용에 대한 부담이 커진다.
ㄹ. 사고를 다시 체험하는 느낌을 받을 수 있다.
ㅁ. 돌보는 가족원에게 관계 훼손에 대한 고통이 증가한다.

① ㄱ, ㄴ, ㄷ      ② ㄱ, ㄷ, ㄹ      ③ ㄴ, ㄷ, ㅁ
④ ㄴ, ㄹ, ㅁ      ⑤ ㄱ, ㄴ, ㄷ, ㄹ

자주 출제되는 문제

**28** 가족 문제를 치유할 수 있는 사회적 차원의 방안으로 옳은 것은?

① 가족 해체를 치유하기 위해 가족의 심리 · 정서적 유대를 강화한다.
② 외상 후 장애의 경우 부정적 경험을 극복할 수 있다는 자신감을 심어 준다.
③ 외상 후 장애의 경우 비슷한 경험을 가진 사람들로 구성된 자조 모임에 참가한다.
④ 부모의 이혼으로 인한 문제는 개별 상담, 가족 상담 등으로 정서적 공감을 얻어 회복할 수 있다.
⑤ 가족이 위기 상황에서 벗어나도록 정부로부터 회복 지원을 받을 수 있는 체계적인 운영 시스템을 마련해야 한다.

**서술형 문제**

**29** 우리나라 식생활 문화의 특징을 서술하시오.

**30** 친환경적인 주생활의 실천 사례를 두 가지 이상 서술하시오.

**31** 가정 폭력을 막기 위해 가족과 사회가 할 수 있는 예방 및 대처 방법을 각각 서술하시오.

**32** 가족 문제 중 가족 해체의 원인과 이로 인한 영향을 서술하시오.

융합 논술형 문제

한식에 대한 다음 기사를 읽고, 물음에 답하시오.

(가) 한식 섭취가 심혈관 질환이나 당뇨병과 같은 생활 습관병의 위험 요인을 개선하는 데 효과가 있다는 임상 실험 결과가 나왔다.

농촌 진흥청은 미국 농업 연구청(USDA-ARS) 벨츠빌 인체 영양 연구 센터와 존스홉킨스 대학팀과 공동으로 2009년부터 2012년까지 4년 동안 '한식 섭취가 인체 건강 상태에 미치는 영향'에 대한 임상 실험을 실시해 한식 섭취가 생활 습관병의 주요 위험 인자인 콜레스테롤과 혈당을 낮추는 것을 확인했다고 23일 밝혔다.     - ○○ 일보 -

(나) "비빔밥은 정말 맛있어. 환상적이야. 이런 음식을 먹고 나면 기분 좋아지지."

머리가 희끗한 중년의 부부가 비빔밥을 맛본 후 이렇게 말한다. 이들은 간장과 고추장 소스 두 가지를 번갈아 비벼 가며 비빔밥을 즐기고 엄지손가락을 추켜세운다. 최근 방영되고 있는 TV 프로그램의 한 장면이다. 서유럽의 조그만 섬의 작은 마을에 들어선 한식당에 현지인들의 관심이 뜨겁다. 그곳에 사는 유명한 한국인 블로거는 지난 9일 자신의 SNS에 "이곳 사람들이 한식당과 한식에 대해 칭찬 일색을 펼쳤다."라고 전하기도 했다. 실제 이 나라에 자리 잡은 한식당은 54개로 집계된다. 이곳에서 한식당은 '코리안 비스트로(Korean Bistro)'로 통한다. 주목할 만한 점은 한식당이 폭발적으로 성장한다는 것이다.

    - ○○경제 신문 -

01. 영양학적인 측면에서 한식의 우수성에 대해 서술하시오.

02. 한식을 세계화할 수 있는 방안에 대해 서술하시오.

# III 자원 관리와 자립

## 이 단원의 성취 기준과 학습 요소

| 중단원 | 소단원 | 성취 기준 | 학습 요소 |
|---|---|---|---|
| 01. 자원 관리 | 1. 가정생활 복지 서비스의 활용 | · 전 생애에 걸친 가정생활 복지 서비스의 종류와 특징을 평가할 수 있다.<br>· 가정생활에서 활용할 수 있는 방안을 제안할 수 있다. | - 가정생활 복지 서비스의 종류와 특징<br>- 가정생활 복지 서비스의 활용 방안 |
| | 2. 경제적 자립의 준비 | · 경제적 자립의 중요성을 설명할 수 있다.<br>· 가정 경제의 안정을 위협하는 요소를 파악할 수 있다.<br>· 가정 경제의 관리 방안을 제안할 수 있다. | - 경제적 자립의 중요성<br>- 가정 경제 관리 방안 |
| | 3. 지속 가능한 소비 생활 실천 | · 개인과 가족의 소비가 사회 및 환경에 미치는 영향을 분석할 수 있다.<br>· 지속 가능한 소비 생활을 실천할 수 있다. | - 소비가 미치는 영향<br>- 지속 가능한 소비 생활 |
| 02. 생애 설계 | 1. 가족생활 설계 | · 가족생활 설계의 필요성을 설명할 수 있다.<br>· 미래의 안정적인 가족생활을 준비하기 위한 요소를 파악하여 설계할 수 있다. | - 가족생활 설계의 필요성<br>- 가족생활 설계의 실천 |
| | 2. 자립적인 노후 생활 | · 노년기의 특성을 설명할 수 있다.<br>· 자립적인 노후 생활을 영위하기 위해 요구되는 생활 역량을 추론하여 제안할 수 있다. | - 노년기의 특성<br>- 자립적인 노후 생활을 위한 생활 역량 |

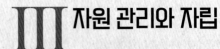

# III 자원 관리와 자립

**01. 자원 관리**

## 핵심 정리

## 1. 가정생활 복지 서비스의 활용

**❶ 가정생활 복지 서비스의 의미**

① **의미**: 가정생활을 중심으로 가족 구성원의 욕구를 충족시켜 생활의 질을 향상시키도록 도와주는 서비스

② **필요성**: 가족 돌봄의 위기에 대처하고 가족 문제 예방 및 해결 등을 위해 필요

**❷ 가정생활 복지 서비스의 종류와 특징**

① 전 생애에 걸친 가정생활 복지 서비스 〔태어나서 죽을 때까지 전 생애에 걸친 가정생활 복지 서비스를 제공함.〕

　ⓐ **임신·출산**: 의료 급여, 모성 보호, 육아 지원, 산모·신생아 건강 관리, 해산 급여, 영·유아 의료비 지원, 국민연금 출산 크레딧 등

　ⓑ **영·유아**: 만 0~5세 보육료, 육아 종합 지원 서비스, 아이 돌봄 서비스, 공동 육아 나눔터 운영, 입양 아동 양육 수당 지원 등

　ⓒ **아동·청소년**: 교육 정보화, WEE 클래스 상담, 교육 복지, 방과후 보육료 지원, 청소년 특별 지원, 청소년 사이버 상담 센터 운영 등

　ⓓ **청년**: 대학생 근로 장학금, 취업 후 상환 학자금 대출, 행복 주택, 국가 장학금, 근로 장려금 등

　ⓔ **중장년**: 건강 가정 지원 센터 운영, 여성 경제 활동 촉진, 영구 임대 주택, 통합 문화 이용권, 고용 복지 플러스 센터 등

　ⓕ **노년**: 기초 연금, 노인 돌봄 종합 서비스, 노인 일자리 및 사회 활동, 임금 피크제 지원금, 장기 요양 급여 이용 지원 등 〔근로자가 일정 연령에 도달한 시점부터 임금을 삭감하는 대신 근로자의 고용을 보장하는 제도〕

② **다양한 가족을 위한 가정생활 복지 서비스**

　ⓐ **저소득층 가족**: 긴급 복지 의료, 아동 발달 지원 계좌 등

　ⓑ **한부모 가족**: 한부모 가족 아동 양육비, 한부모 가족 복지 시설 등

　ⓒ **장애인 가족**: 장애 수당, 장애인 복지 일자리 등

　ⓓ **다문화 가족**: 다문화 가족 지원 사업, 결혼 이민 여성 인턴 운영 등 〔결혼 이민 여성의 재능과 특성을 살린 일자리를 연계하고 직장 체험 기회를 제공하는 인턴십을 지원〕

**❸ 가정생활 복지 서비스의 활용 방안**

적합한 서비스를 받도록 새로운 복지 정책 제안 필요

## 2. 경제적 자립의 준비

**❶ 경제적 자립의 의미와 중요성**

스스로 독립하여 자유롭고 행복하게 살아 나가는 힘을 기르는 것으로 개인의 경제적 자립이 사회, 국가의 재정에 영향

**❷ 가정 경제의 안정을 위협하는 요소** 〔가족의 형성부터 확대, 축소기를 거치는 과정〕

① **예측할 수 있는 위협 요소**: 가족생활 주기별 필요 자금

② **예측할 수 없는 위협 요소**: 신변 안전사고와 무절제한 소비

**❸ 합리적인 가정 경제 관리 방안**

① **위협 요소별 가정 경제 관리 방안**: 예측할 수 있는 위협 요소는 예금이나 투자 등, 예측할 수 없는 위협 요소는 예금, 투자, 보험 등 활용

② **합리적인 가정 경제를 위한 예산과 평가**: 예산 계획을 수립 실행, 이를 분석 평가, 그 결과를 다음 예산 계획에 반영

③ **독립된 경제적 주체로서의 역할**: 올바른 의사 결정 과정을 익히고, 경제적 문제 인식과 문제 해결 능력을 키움.

## 3. 지속 가능한 소비 생활 실천

**❶ 개인과 가족의 소비가 사회와 환경에 미치는 영향**

① **사회에 미치는 영향**: 사회 경제 발전에 기여, 물질적인 풍요로움, 사회 계층적 불평등과 경제적 빈곤 초래

② **환경에 미치는 영향**: 불필요한 자원 낭비와 다양한 환경 문제를 초래하므로 지속 가능한 소비 실천이 중요

**❷ 지속 가능한 소비 생활과 실천**

① **지속 가능한 소비 생활**: 녹색 소비, 착한(윤리적) 소비, 생산을 주도하는 소비, 로컬 소비 등

② **지속 가능한 소비 생활 실천** 〔내가 사는 지역에서 생산된 제품을 사용하는 것〕

　ⓐ **가정**: 실내 적정 온도 유지, 절전형 전등으로 교체, 가전제품 플러그 뽑기, 친환경 상품 구매, 샤워 시간 줄이고 빨래 모아서 하기, 이중창 및 커튼 등 사용

　ⓑ **학교**: 어두운 곳은 고효율 전등을, 밝은 곳은 햇빛을 사용하기, 급식 적당히 담고 남기지 않기, 빈병과 캔 분리 수거하기, 쓰레기 버리지 않는 습관 갖기, 학용품 등은 꼭 필요한 물품만 구매하기 등

**스스로 활동 ①**

교과서 89쪽

### 새로운 복지 정책 제안

다음 복지 서비스의 사례를 참고하여 새로운 복지 정책을 제안해 보자.

**예시 답안**

· 노인 부부 가족: 의료비 무상, 식비, 가사 노동, 말벗 지원 등
· 미혼모 가족: 아기 돌봄, 분유, 기저귀, 생활비 무상 지원 등
· 다문화 가족: 통·번역, 귀향 경비, 고향 음식 재료 지원 등
· 다자녀 가족: 소음 방지 바닥재, 장난감, 아기 돌봄 지원 등
· 장애인 가족: 의료비, 재활비, 가사, 간병비 지원 등

 **스스로 활동 ②**

교과서 90쪽

### 첫 월급으로 뭘 할까?

직장에 취업 후, 첫 월급을 받았다면 어떻게 사용할 예정인지 계획해 보자.

**예시 답안**

· 월급: 200만 원
· 월급 사용 계획: 교통비 10만 원, 통신비 10만 원, 외식비 20만 원, 부모님 선물비 20만 원, 정기 적금 50만 원, 의복비 20만 원, 식료품비 20만 원, 관리비 20만 원, 예비비 30만 원

 **스스로 활동 ③**

교과서 93쪽

### 나만의 가계부

나에게 맞는 절약 항목을 정하고 지출할 때마다 기록하여 1개월간 점검해 보고, 불필요한 지출을 찾아 절약하고 저축할 계획을 세워 보자.

**예시 답안**

| 절약 항목: 간식, 외식비 | |
| --- | --- |
| ① 지출 횟수: 4회<br>② 1회당 지출액: 2만 원<br>③ 합계 ① × ②: 8만 원<br>④ 지난 달 금액: 15만 원<br>⑤ 절약 금액: 7만 원 | · 갖고 싶은 것: 가방<br>· 하고 싶은 것: 여행<br>· 구체적 목표: 주말에 가족과 함께 캠핑하기 |

**스스로 활동 ④**

교과서 94쪽

### 청소년의 아르바이트

다음 청소년의 아르바이트 십계명을 참고하여 '청소년의 아르바이트를 허용해야 할까? 제한해야 할까?'에 대한 근거를 들어 자신의 주장을 적어 보자.

**예시 답안**

1. 청소년의 아르바이트를 허용하여야 한다.: 청소년이라 할지라도 기본적으로 정신적·육체적 성숙도 측면에서 근로할 권리를 충분히 보유하고 있다. 청소년 아르바이트는 법적으로 안전하도록 보장받고 있으며, 교육받을 권리를 침해하지 않는다.
2. 청소년의 아르바이트는 제한하여야 한다.: 청소년이 할 수 있는 노동 자체는 청소년의 미래를 위한 성장에 도움이 되지 않는다. 청소년이 아르바이트에 치중하면 교육받을 권리를 침해받는다.

**스스로 활동 ⑤**

교과서 99쪽

### 녹색 소비

환경 마크 제도

환경 마크 제도는 같은 용도의 다른 제품에 비해 '제품의 환경성'을 개선한 경우 그 제품에 환경 마크를 표시함으로써 소비자에게 환경성 개선 정보를 제공하고, 소비자의 환경 마크 제품 선호에 부응함으로써 기업이 친환경 제품을 개발·생산하도록 유도하여 자발적으로 환경 개선을 유도하는 인증 제도이다.

1. 주변에서 환경 마크가 붙어 있는 제품을 조사해 보자.
2. 모둠별로 환경 마크가 붙어 있는 제품을 촬영한 후, 선생님의 휴대 전화나 전자 우편으로 전송하여 보자.

**예시 답안**

환경 마크 제도는 같은 용도의 다른 제품에 비해 '제품의 환경성'을 개선한 경우 그 제품에 로고(환경 마크)를 표시함으로써 소비자(구매자)에게 환경성 개선 정보를 제공하고, 소비자의 환경 마크 제품 선호에 부응해 기업이 친환경 제품을 개발·생산하도록 유도해 자발적 환경 개선을 유도하는 자발적 인증 제도이다. 주변의 대형 마트나 백화점 등을 방문하여 환경 마크 제품을 조사한다.

**1** 기초 연금, 장기 요양 급여 이용 지원 등은 노년 복지 서비스에 해당한다.

( O , X )

**2** 긴급 복지 의료 서비스는 한부모 가족을 위한 가정생활 복지 서비스이다.

( O , X )

**3** (　　　　)은/는 근로자가 일정 연령에 도달한 시점부터 임금을 삭감하는 대신 근로자의 고용을 보장하는 제도이다.

**4** (　　　　)은/는 부모의 도움을 받지 않고 스스로 독립하여 자유롭고 행복하게 살아 나가는 힘을 기르는 것을 뜻한다.

**5** 가정 경제의 안정을 위협하는 요소 중 예측 가능한 위협 요소에 해당하는 것은?

① 질병　　　　　　② 교통사고
③ 안전사고　　　　④ 자녀 교육비
⑤ 무절제한 소비

**6** 지속 가능한 소비 생활로 가장 적절하지 않은 것은?

① 착한 소비　　　　② 로컬 소비
③ 공정 무역　　　　④ 공유 경제
⑤ 패스트 패션

## 기초 다지기 문제

정답 및 해설 **130**쪽

**01** 다음 설명에 해당하는 것은?

> 가정생활을 중심으로 가족 구성원의 욕구를 충족시켜 생활의 질을 향상시키도록 도와주는 서비스를 의미한다.

① 사회 보험　　　　② 가족 상담
③ 가족생활 교육　　④ 가정생활 복지 사업
⑤ 가정생활 복지 서비스

**02** 가정생활 복지 서비스에 대한 설명으로 옳지 않은 것은?

① 가족 돌봄의 위기에 대처할 수 있다.
② 가족원의 다양한 요구를 충족시킨다.
③ 가족 문제를 예방하고 해결하기 위해 필요하다.
④ 가족 구성원의 욕구를 충족시켜 생활의 질을 향상시킨다.
⑤ 현대 사회의 가족 문제는 개인의 힘만으로 해결이 가능하다.

**03** 다음이 설명하는 복지 서비스는?

> 출산 장려 정책의 일환으로 국민연금 가입자가 자녀를 둘 이상 낳았을 경우 둘째 자녀는 12개월, 셋째 자녀 이상부터는 1명당 18개월의 가입 기간을 추가로 인정해 주는 제도이다.

① 육아 휴직 급여　　　② 아이 돌봄 서비스
③ 배우자 출산 휴가　　④ 국민연금 출산 크레딧
⑤ 육아 종합 지원 서비스

**04** 다음과 같은 상황에서 활용할 수 있는 가정생활 복지 서비스는?

> 야근이나 갑작스러운 출장으로 급하게 자녀를 돌봐 줄 사람이 필요한 상황이다.

① 방과후 보육료　　　② 통합 문화 이용권
③ 아이 돌봄 서비스　　④ 임금 피크제 지원금
⑤ 국민연금 출산 크레딧

**05** 아동·청소년기의 복지 서비스 중에서 교육 지원을 위한 복지 서비스로 적절한 것은?

① 학교 밖 청소년 지원
② 방과후 보육료 지원
③ 발달 재활 서비스 지원
④ WEE 클래스 상담 지원
⑤ 청소년 산모 임신·출산 의료비 지원

**06** 생애 주기 중 <보기>와 같은 복지 서비스가 필요한 시기로 옳은 것은?

┤ 보기 ├
- 건강 가정 지원 센터 운영
- 영구 임대 주택 공급
- 통합 문화 이용권 지원
- 고용 복지 플러스 센터 운영
- 생애 전환기 건강 검진 지원

① 노년기　　　② 청년기　　　③ 영·유아기
④ 중·장년기　　⑤ 아동·청소년기

**07** 가정을 방문해 서비스를 제공하거나 보호 시설에서 신체 활동 지원 등의 서비스를 제공하는 것은?

① 재가 급여　　　　　② 기초 연금
③ 소득 공제 제도　　　④ 국민 건강 보험 제도
⑤ 건강 가정 지원 센터 운영

**08** 다양한 가족을 위한 가정생활 복지 서비스를 받을 수 있는 가족의 종류를 <보기>에서 모두 고른 것은?

┤ 보기 ├
ㄱ. 한부모 가족　　　ㄴ. 다문화 가족
ㄷ. 장애인 가족　　　ㄹ. 저소득층 가족
ㅁ. 조부모가 있는 가족　ㅂ. 자녀가 없는 가족

① ㄱ, ㄴ, ㄷ　　② ㄱ, ㄷ, ㄹ　　③ ㄷ, ㄹ, ㅁ
④ ㄷ, ㅁ, ㅂ　　⑤ ㄱ, ㄴ, ㄷ, ㄹ

**09** 다음 빈칸에 공통으로 들어갈 알맞은 말을 쓰시오.

（　　　　　）은/는 부모의 도움을 받지 않고 스스로 독립하여 자유롭고 행복하게 살아 나가는 힘을 기르는 것을 뜻한다. 개인의 （　　　　　）은/는 가정을 안정된 재정 상태로 만들어 사회, 국가의 재정 상태에도 영향을 미치게 된다.

**10** 안정적인 가정 경제에 대한 설명으로 옳지 <u>않은</u> 것은?

① 소득에 비해 지출이 많아지는 것이다.
② 은퇴기는 은퇴 후 생활 자금이 필요하다.
③ 과시 소비는 예측할 수 없는 위협 요소이다.
④ 매월 소득과 지출이 체계적으로 관리되는 것이다.
⑤ 가족생활 주기에 따라 필요한 자금은 예측이 가능하다.

**11** <보기>는 무엇에 대한 설명인지 쓰시오.

┤ 보기 ├
- 자연이 가진 원래의 질과 상태를 유지할 수 있는 범위 안에서의 소비를 뜻한다.
- 현재뿐만 아니라 미래까지 생각하는 소비 생활이다.

**12** 지속 가능한 소비 생활의 장점으로 옳은 것은?

① 과소비를 부추긴다.
② 다양한 환경 문제를 초래한다.
③ 불필요한 자원 낭비가 발생한다.
④ 자연 생태계의 파괴를 줄일 수 있다.
⑤ 에너지 소비에 의한 온실가스 배출량이 증가한다.

**01** 가정생활 복지의 필요성에 대한 설명으로 옳은 것은?

① 새로운 정책 제안에는 한계가 있다.
② 가족 관계의 변화에 대처할 수 있다.
③ 가족 돌봄의 기능을 축소시킬 수 있다.
④ 저출산 및 고령화 현상의 해결과는 거리가 멀다.
⑤ 가족 규모의 확대로 인한 가족 문제를 예방할 수 있다.

**04** 저소득층 가족을 위한 가정생활 복지 서비스로 옳지 <u>않은</u> 것은?

① 긴급 복지 의료비 지원
② 아동 발달 지원 계좌 제공
③ 다문화 가족 지원 센터 운영
④ 저소득층 에너지 효율 개선
⑤ 저소득층의 기저귀·조제분유 지원

**02** 영·유아기의 가정생활 복지 서비스를 <보기>에서 <u>모두</u> 고른 것은?

┤ 보기 ├
ㄱ. 기초 연금 지원　　　　ㄴ. 행복 주택 공급
ㄷ. 만 0~5세 보육료　　　ㄹ. 교육 정보화 지원
ㅁ. 아이 돌봄 서비스　　　ㅂ. 육아 종합 지원 서비스

① ㄱ, ㄴ, ㄷ　　　　② ㄱ, ㄷ, ㄹ
③ ㄷ, ㄹ, ㅁ　　　　④ ㄷ, ㅁ, ㅂ
⑤ ㄱ, ㄴ, ㄷ, ㄹ

**05** 다음의 가족이 활용할 수 있는 가정생활 복지 서비스로 적절하지 <u>않은</u> 것은?

> 18세 미만의 미성년 자녀를 둔 가정에서 부모의 한쪽 또는 양쪽이 사망·이혼·별거·유기·미혼모 등의 이유로 혼자서 자녀를 키우며 부모 역할을 담당하는 한부모와 자녀로 구성된 가족이다.

① 가사·간병 방문 지원
② 한부모 가족 복지 시설
③ 한부모 가족 아동 양육비
④ 한부모 가족 자녀 교육비 지원
⑤ 청소년 산모 임신·출산 의료비 지원

**03** 다음과 같은 가족 구성원이 활용할 수 있는 가정생활 복지 서비스로 적절하지 <u>않은</u> 것은?

> 70대의 친할머니, 40대의 아빠와 엄마, 대학생 누나와 초등학교 4학년인 자녀로 구성된 가족이다.

① 근로 장려금 지원
② 공동 육아 나눔터 운영
③ WEE 클래스 상담 지원
④ 생애 전환기 건강 진단 지원
⑤ 노인 일자리 및 사회 활동 지원

**06** 경제적 자립에 대한 설명으로 옳지 <u>않은</u> 것은?

① 올바른 경제 지식과 경제적 기술을 익혀야 한다.
② 소득이 많으면 경제적 자립도가 높다고 할 수 있다.
③ 경제적 자립을 위해서는 경제적 가치관이 필요하다.
④ 다양한 상황 속에서 체험 교육으로 생활화되어야 한다.
⑤ 부모의 경제적 자립에 대한 올바른 가치관과 실천 의지가 중요하다.

**07** 가정 경제의 안정을 위협하는 요소 중 예측할 수 있는 위협 요소를 <보기>에서 모두 고른 것은?

┤ 보기 ├
ㄱ. 암 치료비          ㄴ. 충동 소비 자금
ㄷ. 자녀 교육비        ㄹ. 주택 마련 자금
ㅁ. 교통사고 치료비

① ㄱ, ㄴ          ② ㄱ, ㄷ          ③ ㄴ, ㄷ
④ ㄷ, ㄹ          ⑤ ㄹ, ㅁ

**[08~09]** 그림을 보고, 물음에 답하시오.

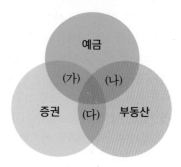

**08** (가)~(다)에 해당하는 것은?

| | (가) | (나) | (다) |
|---|---|---|---|
| ① | 환금성 | 수익성 | 안정성 |
| ② | 환금성 | 안정성 | 수익성 |
| ③ | 안정성 | 수익성 | 환금성 |
| ④ | 안정성 | 환금성 | 수익성 |
| ⑤ | 수익성 | 안정성 | 환금성 |

**09** (가)~(다)에 대한 설명으로 적절한 것은?

① (가): 원금이 손실될 가능성이 있다.
② (가): 이익이 충분히 발생할 수 있다.
③ (나): 원금이 손실될 가능성이 있다.
④ (나): 언제든지 쉽게 현금화할 수 있다.
⑤ (다): 언제든지 쉽게 현금화할 수 있다.

**10** 예측할 수 있는 위협 요소 대비 방안을 <보기>에서 모두 고른 것은?

┤ 보기 ├
ㄱ. 부동산          ㄴ. 생명 보험
ㄷ. 손해 보험        ㄹ. 화재 보험
ㅁ. 자동차 보험      ㅂ. 저축성 예금

① ㄱ, ㄴ          ② ㄱ, ㅂ          ③ ㄴ, ㅂ
④ ㄷ, ㅁ          ⑤ ㄷ, ㅂ

**11** 독립된 경제적 주체로서 용돈을 관리하는 실천 방안에 대한 설명으로 옳지 않은 것은?

① 합리적인 구매 의사 결정 과정을 익힌다.
② 용돈 관리장은 한꺼번에 몰아서 작성한다.
③ 기부를 통해 나누는 즐거움을 알고 실천한다.
④ 스스로 노력해서 번 소득을 통해 대가를 배운다.
⑤ 저축의 목표를 세우고 그 목표를 달성함으로써 자신감을 키운다.

**12** 지속 가능한 소비 생활의 실천으로 볼 수 없는 것은?

① 재활용이 가능한 제품을 사용한다.
② 에너지를 아껴 쓰고 대중교통을 이용한다.
③ 기업의 이윤이 적은 상품을 조사하여 선택한다.
④ 재활용 인증 마크 등 환경친화적인 제품을 선택한다.
⑤ 탄소 라벨에 표시된 이산화 탄소 배출량이 적은 상품을 선택한다.

# III 자원 관리와 자립

## 핵심 정리

## 1. 가족생활 설계

### ❶ 가족생활 설계의 필요성

① 의미: 예측되는 생활 변화에 대처하고, 보다 나은 미래를 만들기 위해 주체적으로 생활을 계획하고 운영하는 의도적 활동과 노력
② 필요성: 직업, 결혼, 자녀 교육, 여가, 노후 생활 등을 미리 대비할 수 있어 보람 있고 가치 있는 삶의 영위에 필요

### ❷ 가족생활 설계의 실천

① 방법: 가족의 건강과 경제적 안정을 목적으로 하며, 가족 생활 주기에 따라 단계별 발달 과업 계획
② 목표 설정: 현재 생활을 점검하여 구체적인 가족 목표 설정
③ 설계 시 고려할 요소: 가족 관계, 건강, 경제생활, 자녀 교육과 같은 요소 고려   주택 마련, 자녀 양육 및 교육, 노후 준비, 각 생애 주기에 필요한 재정 계획을 고려한다.

직업인, 부모, 배우자, 노부모를 부양하는 성인 자녀의 역할 등
여러 가지 역할을 동시에 수행하는 데서 오는 갈등을 의미한다.

### ❸ 일·가정의 양립을 실현

① 일·가정 양립의 필요성: 가족의 행복과 직업을 통한 경제 생활과 사회적 성취의 조화가 중요
② 일·가정 양립의 실현을 위한 개인, 가족, 사회의 노력
  - ㉠ 역할 갈등: 가사 노동의 분담, 일의 우선순위 결정, 가사 노동의 사회화, 효과적인 가정 관리 방법의 터득
  - ㉡ 자녀 양육: 육아 휴직, 아이 돌봄 서비스, 탄력적 근로 시간제, 출산 전후 휴가 제도
  - ㉢ 가족 가치관: 양성평등한 성 역할 태도 확립, 의사소통 및 감정 표현의 기술 습득, 가족 구성원이 처한 상황 배려, 서로의 역할 이해
  - ㉣ 경제생활: 소비 행태 점검, 갑작스러운 사고나 질병, 실직 등에 대비한 예비비 마련
  - ㉤ 사회 제도: 휴가 및 휴직 제도, 보육 및 돌봄 지원 제도, 근로 시간 탄력 운영 제도
③ 가족 친화 인증제: 가족 친화 제도를 모범적으로 운영하는 기업 및 공공 기관에 대하여 심사를 통해 인증을 부여하는 제도

④ 스마트워크: 자유롭게 출근하여 장소에 구애받지 않고 일할 수 있는 근무 환경 구축으로 일하면서도 가정생활을 충실하게 할 수 있는 장점을 가진 근무 형태

언어 능력, 문제 해결 능력, 학습과 문화 수용 능력 등

## 2. 자립적인 노후 생활

### ❶ 노년기 발달의 특성

① 신체 발달: 반응 속도, 정교성, 균형 감각 등의 약화, 흰머리와 주름살 등 신체적·생리적 노화 현상, 시력 감소, 근육 탄력성 저하, 골밀도 저하 등, 노화를 늦추기 위한 적당한 운동 필요   추리 능력, 연산 능력, 기억력, 도형 지각 능력 등
② 인지 발달: 지능, 기억, 언어, 문제 해결 영역에서 인지 능력 감퇴와 유전 요인에 의한 유동 지능이 후천적 습득에 의한 결정 지능보다 큰 폭으로 감퇴, 풍부한 삶의 지혜와 실용 지능을 활용한 통합적 사고 가능   삶에 대한 통찰력, 감정 이입, 경험에 의한 직감 등
③ 정서 발달: 자기 유지 기능과 사회 역할 기능이 약화되어 무력감이나 무가치함, 소외감, 외로움을 느끼기 쉽고, 자아 통합감을 형성하여 삶의 여유를 가지면서 생을 의미 있게 마무리할 준비 필요
④ 사회 발달: 과거 회상, 친숙한 사람과 사물에 대한 애착, 직업으로부터의 은퇴, 배우자나 친구의 사망으로 사회관계 축소, 자녀와의 친밀감을 통해 긴장을 해소하고 자아 정체감과 자존감 유지 필요

### ❷ 노후를 위한 준비

① 개인적 준비: 신체 건강을 유지하기 위해 식사와 운동 등 예방 차원의 관리 필요, 가족, 친구와의 친밀한 관계 유지, 취미와 종교 등 지속적인 여가 활동
② 경제적 준비: 저축, 자녀의 생활비 지원, 생산 활동 참여 등의 개인적 방법과 연금 제도, 의료 보험, 소득 보장 서비스 등의 사회 제도를 활용한 방법
③ 사회적 준비: 노인 스스로 취미와 여가 활동, 봉사 활동 등을 통해 개인적 만족감을 찾고 국가와 지역 사회는 노인 관련 돌봄 서비스 제공

1

**교과서 104쪽**

### 가족생활 설계의 실천

1. 우리 가족의 목표를 정하고 가족생활 설계를 해 보자.

예시 답안

· 현재 나의 생활 점검
- 의류와 학용품 등의 쇼핑으로 용돈을 과도하게 사용하고 있다.
- 밤 늦게까지 스마트폰을 사용하여 늦잠을 자게 되어 습관적으로 지각하고 있다.
- 부모님과 대화하는 시간이 적고, 어쩌다 이야기하면 잔소리처럼 여겨져 화가 난다.
· 가족의 목표 설정
- 불필요한 소비 항목을 파악하여 지출을 줄인다.
- 스마트폰 사용 시간을 줄이고, 일찍 자고 일찍 일어난다.
- 가족의 의사소통 방법을 개선하여 긍정적으로 소통한다.
· 가족생활 설계
- 가능한 한 의류 매장이나 온라인 쇼핑몰을 방문하지 않는다.
- 늦은 밤에는 스마트폰을 끄고 알람 시계를 사용하여 기상하거나 부모님께 아침에 깨워 달라고 부탁한다.
- 부모님과 대화하는 시간을 정하고, 대화할 때 비난이나 질책 등 부정적인 발언을 줄이고 서로 지지하는 대화를 나눈다.

2. 가족생활 설계 시 고려해야 할 4요소를 바탕으로 가족생활 설계를 해 보자.

예시 답안

| 단계 | 가족 관계 | 자녀 교육 | 건강 | 경제생활 |
|------|----------|----------|------|----------|
| 청소년기 (~20세) | 아버지, 어머니, 형, 여동생과 함께 산다. | 자녀가 없다. | 성장에 필요한 영양소를 골고루 섭취한다. | 부모님께 받은 용돈을 아껴서 필요한 곳에만 사용한다. |
| 성인기 (21~40세) | 32세에 결혼한다. | 자녀 교육에 대비한 정기적금에 가입한다. | 체중과 키에 알맞은 식사를 하고, 규칙적인 운동을 한다. | 25세에 취업한다. |
| 중년기 (41~60세) | 중학생 아들, 초등학생 딸과 함께 산다. | 자녀 교육에 비용이 가장 많이 드는 시기이므로 절약한다. | 정기적으로 건강 검진을 받는다. | 40세에 회사에서 부장으로 승진한다. |
| 노년기 (61세 이후) | 부부만 둘이 산다. | 연금으로 생활한다. | 90세에 사망한다. | 62세에 직장에서 은퇴한다. |

 2

**교과서 105쪽**

### 역할 갈등의 문제

다음 역할 갈등에 대한 만화를 보고, 나의 생각을 이야기해 보자.

예시 답안

워킹맘이 자녀와의 약속과 직장 일 사이에서 갈등하는 것이 힘들어 보였다. 어머니가 육아를 도맡아 하지 말고 아버지나 조부모 등 다른 가족원의 지원이 필요하다고 생각한다. 일하는 엄마가 일의 우선순위를 결정할 때는 자녀가 가장 먼저가 되어야 한다고 생각한다. 자녀가 어릴 때는 부모님이 근무 시간 탄력 제도나 육아 휴직 등을 사용하는 것이 바람직하다고 생각한다.

스스로 활동 3

**교과서 107쪽**

### 자립적인 노후 생활 준비하기

다음은 노년기 적응 유형에 대한 설명이다. 성공적이고 자립적인 노후 생활을 영위하기 위해서는 어떤 준비가 필요한지 토론해 보자.

· 노년기 심리적 적응 유형: 노년기는 자신의 인생을 되돌아보고, 남은 시간을 어떻게 활용할 것인가를 결정하는 시기이다. 노인들이 노화에 적응하는 방식은 개인의 성격과 일생을 통해 겪어 온 경험에 따라 다르게 나타날 수 있다.
① 자학형: 인생의 목표를 달성하지 못하고 나이 들어감에 대해 후회하며, 자신을 질책하는 유형
② 분노형: 자신의 과거를 실패한 것으로 생각하고 그 원인을 타인에게 돌리며, 타협을 거부하는 유형
③ 성숙형: 자신의 삶이 성공적이었다고 생각하며, 나이 들어감을 받아들여 만족하는 유형
④ 무장형: 노화에 따른 정신·신체적 변화를 극복하기 위해 적극적으로 활동하는 유형
⑤ 은둔형: 생계의 무거운 짐을 벗었다고 생각하며 대인 관계와 사회적 책임에서 멀어지려고 하는 유형

예시 답안

· 우리 할머니는 자학형이다. 할머니께서는 경제적인 능력이 없으셔서 병원비와 생활비 등이 부족하여 자식들에게 부담이 되는 것을 미안해 하시고 늘 자신의 탓을 하신다. 성공적인 노후 생활을 위해서는 경제적으로 미리 대비하여 연금과 저축을 해 두는 것이 필요한 것 같다.
· 자신의 삶을 후회하지 않고 성공적이었다고 평가하기 위해서는 은퇴 후 경제적인 대책을 미리 마련하고 자식들과 친밀하게 지내고 적당한 식사와 운동으로 건강을 유지해야 한다.

**1** 가족생활 설계를 통해 직업, 결혼, 자녀 교육, 여가, 노후 생활 등을 미리 대비할 수 있다.

( O , X )

**2** 일·가정 양립에서 역할 갈등은 일의 우선순위 결정, 가사 노동의 사회화를 통해 해결할 수 있다.

( O , X )

**3** ( )을/를 실현하기 위해서는 가정생활과 직업 생활의 두 영역을 균형 있게 조화시키는 것이 매우 중요하며, 이를 유지하기 위한 개인, 가족, 사회의 노력이 필요하다.

**4** ( )은/는 삶의 만족과 적응 수준이 높은 상태에 도달하는 것으로 이를 이루려면 스스로의 준비도 필요하지만, 가족과 사회의 적절한 보살핌이 있어야 한다.

**5** 가족생활 설계 시 고려해야 할 요소로 거리가 가장 먼 것은?

① 건강  ② 종교
③ 경제생활  ④ 가족 관계
⑤ 자녀 교육

**6** 노년기 인지 발달의 특성 중 삶에 대한 통찰력, 감정 이입, 경험에 의한 직감을 뜻하는 것은?

① 자아 존중  ② 결정 지능
③ 유동 지능  ④ 통합적 사고
⑤ 자아 정체감

정답 1. ○ 2. ○ 3. 일·가정 양립 4. 성공적 노후화 5. ② 6. ④

## 기초 다지기 문제

정답 및 해설 **131**쪽

**01** 가족생활 설계에 대한 설명으로 옳지 <u>않은</u> 것은?

① 가족의 건강과 경제적 안정을 목표로 한다.
② 현재 생활의 문제를 점검하여 실현 가능한 목표를 세운다.
③ 보다 나은 미래의 생활을 준비하는 수동적이고 소극적인 방법이다.
④ 가족생활 설계의 일반적인 가치로는 건강, 사랑, 평화, 쾌적, 창조, 안전 등이 있다.
⑤ 직업, 결혼, 자녀 교육, 여가, 노후 생활 등의 변화를 미리 예측하여 대비할 수 있다.

**02** 가족생활 설계 시 고려해야 할 요소를 두 가지만 쓰시오.

**03** <보기>의 가족생활 설계 과정을 바르게 나열한 것은?

┤ 보기 ├

ㄱ. 우리 가족에게 해당하는 가치를 바탕으로 가족의 목표를 설정한다.
ㄴ. 가족생활 설계의 일반 가치를 바탕으로 현재 자신의 생활을 점검한다.
ㄷ. 실천 가능한 대안을 탐색하여 가족생활을 설계한다.

① ㄱ→ㄴ→ㄷ  ② ㄱ→ㄷ→ㄴ
③ ㄴ→ㄱ→ㄷ  ④ ㄴ→ㄷ→ㄱ
⑤ ㄷ→ㄴ→ㄱ

**04** 다음의 시기에 해당하는 일반적 과제로 옳은 것은?

결혼 직후 ~ 첫 자녀 출산 전

① 부부로서의 적응  ② 자녀의 인성 교육
③ 주거 환경의 조정  ④ 자녀 독립에 대한 지원
⑤ 경제적 안정과 노후 대책

**05** 다음에서 설명하고 있는 일·가정의 양립 과정에서 발생할 수 있는 문제는?

> 직업인, 부모, 배우자, 노부모를 부양하는 성인 자녀의 역할 등 여러 가지 역할을 동시에 수행하는 데서 오는 갈등이다.

① 역할 갈등      ② 일정 갈등
③ 경제생활 문제      ④ 자녀 양육 문제
⑤ 가족 관계 갈등

**06** 일·가정 양립의 장점에 대한 설명으로 옳지 않은 것은?

① 여성의 삶의 만족도가 증가한다.
② 자녀들의 독립심과 자주성이 발달한다.
③ 여성의 능력 발휘와 사회 공헌도가 높아진다.
④ 경제적으로 풍부하며 윤택한 생활을 할 수 있다.
⑤ 가사 노동을 해결하기 위한 비용이 늘어나게 된다.

**07** 일·가정의 양립에서 비롯되는 문제를 해결하기 위해 변화되어야 할 직장 환경에 대한 설명으로 가장 거리가 먼 것은?

① 재택근무나 탄력 근무제를 확대하여 실시해야 한다.
② 남성들도 가사와 자녀 양육을 위해 편하게 휴직할 수 있어야 한다.
③ 일과 가정생활을 모두 중시할 수 있는 직장 내 문화가 조성되어야 한다.
④ 직장 내 보육 시설을 늘려 근로자와 자녀의 심리적 안정을 도모해야 한다.
⑤ 가사 노동의 사회화를 위해 각종 가전 기기나 서비스를 많이 생산해야 한다.

**08** 자유롭게 출근하여 장소에 구애받지 않고 일할 수 있는 근무 환경을 무엇이라고 하는가?

**09** 행복하고 자립적인 노후 생활의 특징이 아닌 것은?

① 경제적으로 안정되어 있다.
② 가족원 간의 유대감이 높다.
③ 자신의 건강을 스스로 관리한다.
④ 사회적 지원이 정책적으로 안정되어 있다.
⑤ 친구 및 사회적 관계, 봉사 활동 등의 자기 만족도가 낮다.

**10** <보기>에서 설명하는 지능은?

> ┤ 보기 ├
> • 유전적 요인에 의해 결정되는 지적 능력
> • 뇌세포의 손상과 쇠퇴에 의해 감퇴하는 지능
> • 추리·연산·도형 지각 능력, 기억 등 경험과는 무관

① 결정 지능      ② 유동 지능
③ 사회적 지능      ④ 언어적 지능
⑤ 논리적 지능

**11** 노년기에 가족이 미치는 영향으로 적절하지 않은 것은?

① 자아 정체감이 유지된다.
② 평화로움을 느낄 수 있다.
③ 인생에 만족감을 느낄 수 있다.
④ 신체적으로 건강을 유지할 수 있다.
⑤ 내적으로 긴장감을 유지할 수 있다.

**12** 노년기에 겪을 수 있는 고독감과 소외감을 이겨 내기 위한 방법으로 적절하지 않은 것은?

① 여가 활동을 한다.
② 지속적인 취미를 갖는다.
③ 적극적인 생활 태도를 갖는다.
④ 자신의 삶을 긍정적으로 수용한다.
⑤ 가족과 거리를 두어 사회적 책임에서 벗어난다.

**01** 가족생활 설계의 필요성으로 적절하지 <u>않은</u> 것은?

① 가족의 건강과 경제적 안정을 목적으로 한다.
② 다른 대부분의 가족이 선택한 목표를 설정하는 것이 안전하다.
③ 가족생활 주기에 따라 단계별 발달 과업을 구체적으로 계획한다.
④ 충분한 대화를 통해 가족 구성원들이 만족할 수 있도록 계획한다.
⑤ 가족 관계, 자녀 교육, 건강, 경제생활과 같은 요소를 고려해야 한다.

중요

**02** 가정생활 설계 시 고려해야 할 요소 중 다음 설명과 가장 관련이 있는 것은?

> 가족생활 주기에 따른 가족원의 수입·지출의 변화로 각 단계에서 필요한 비용과 마련 방법에 대해 설계해야 한다.

① 건강
② 종교
③ 경제생활
④ 가족 관계
⑤ 자녀 교육

**03** <보기>는 역할 갈등으로 고민하던 이 씨가 문제를 해결하기 위해 하는 노력이다. 이 씨는 어떤 노력을 하고 있는가?

> ┤ 보기 ├
> • 급한 일: 자녀 도시락 준비
> • 중요한 일: 사업 계획서 쓰기
> • 나중에 해도 되는 일: 집안 청소하기

① 가족 구성원과 역할 분담하기
② 주어진 역할의 의의 분명히 하기
③ 친구나 친척, 직장 동료들에게 도움 받기
④ 가사 노동을 대신할 수 있는 서비스 활용하기
⑤ 할 일의 긴급도, 중요도를 따져 우선순위 정하기

중요

**04** 일·가정 양립으로 인한 가족 문제 중 <보기>는 어떤 문제를 해결하기 위한 방안인가?

> ┤ 보기 ├
> • 소비 행태 점검
> • 갑작스러운 사고나 질병, 실직 등에 대비한 예비비 마련

① 의사소통
② 자녀 양육
③ 역할 갈등
④ 경제생활
⑤ 가족 가치관

중요

**05** 다음에서 설명하는 일·가정 양립을 위한 사회 제도는?

> 임신·출산·육아 등으로 이직한 여성 근로자(출산 여성)를 채용하는 사업주에게 장려금을 지원함으로써 여성들의 경력 단절을 막기 위한 제도이다.

① 산전·후 휴가 제도
② 가족 간호 휴직 제도
③ 가족 친화 인증 제도
④ 배우자 출산 휴가 제도
⑤ 출산 육아 후 여성 노동 시장 복귀 지원 제도

**06** 일·가정 양립의 실현을 어렵게 만드는 가족 가치관의 문제를 해결하기 위한 방안에 대한 설명으로 옳지 <u>않은</u> 것은?

① 양성평등한 성 역할 태도를 확립한다.
② 자유로운 대화의 시간을 많이 갖는다.
③ 가족 구성원이 처한 상황을 배려하는 마음을 갖는다.
④ 한 사람이 전적으로 가사 노동을 맡는 것이 효율적이다.
⑤ 자신의 감정을 적절하게 조절하여 표현하는 방법을 익힌다.

**07** 노년기 신체 발달의 특성으로 볼 수 <u>없는</u> 것은?

① 시력이 감소한다.
② 균형 감각이 둔화된다.
③ 근육 탄력성이 저하된다.
④ 손을 사용할 때의 정교성이 높아진다.
⑤ 외부 자극에 대한 반응 속도가 떨어진다.

 **08** 노년기 통합적 사고의 특징에 대한 설명으로 옳은 것은?

① 추리 능력, 연산 능력, 기억력과 같은 유동 지능이 증진한다.
② 후천적으로 학습되는 결정 지능은 노년기에 급속히 감퇴한다.
③ 선천적으로 타고나는 유동 지능은 노년기 이후에도 꾸준히 유지된다.
④ 통합적 사고에는 삶에 대한 통찰력, 감정 이입, 경험에 의한 직감 등이 있다.
⑤ 언어 능력, 문제 해결 능력, 학습과 문화 수용 능력 같은 결정 지능이 감퇴한다.

**09** 그림과 같은 노년기의 사회 발달 특성에 대한 설명으로 옳지 <u>않은</u> 것은?

① 노년기에 가족은 강력한 지지 체계이다.
② 친구와 친밀한 관계를 유지하여 소외감을 극복해야 한다.
③ 과거를 회상하면서 친숙한 사람과 사물에 대한 애착이 사라진다.
④ 직업으로부터 은퇴, 배우자나 친구의 사망 등으로 사회관계가 축소된다.
⑤ 자녀와의 친밀한 관계를 유지하여 자아 정체감과 자존감을 유지해야 한다.

**10** 신체 기능이 저하된 노년기에 가장 적절한 주거 형태는?

① 소호형 주택　　② 코하우징 주거
③ 유니버설 주거　④ 스마트 하우스
⑤ 인텔리전트 주택

**11** <보기>에서 설명하는 노년기의 심리적 적응 유형으로 바르게 짝지어진 것은?

┤ 보기 ├

㉠ 자신의 과거를 실패한 것으로 생각하고 그 원인을 타인에게 돌리며, 타협을 거부하는 유형이다.
㉡ 노화에 따른 정신·신체적 변화를 극복하기 위해 적극적으로 활동하는 유형이다.

|  | ㉠ | ㉡ |
|---|---|---|
| ① | 성숙형 | 자학형 |
| ② | 은둔형 | 자학형 |
| ③ | 분노형 | 무장형 |
| ④ | 분노형 | 성숙형 |
| ⑤ | 은둔형 | 무장형 |

**12** 행복하고 자립적인 노후 생활을 위한 개인적·경제적·사회적 준비에 대한 설명으로 옳은 것은?

① 활동량을 줄이고 충분히 휴식한다.
② 사회적인 역할을 축소하고 은둔한다.
③ 자녀에 대한 정서적 의존도를 높인다.
④ 과거를 회상하면서 친숙한 사물에 집착한다.
⑤ 저축과 연금 제도를 활용하여 경제적으로 자립한다.

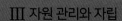

자주 출제되는 문제

**01** 현대 사회에서 가정생활 복지 서비스의 중요성이 더 강조되고 있는 이유는?

① 세대가 복잡해졌다.
② 가족 규모가 확대되고 있다.
③ 가족 관계나 역할은 변하지 않는다.
④ 가족 돌봄의 위기 현상이 나타난다.
⑤ 가족 개개인의 다양한 욕구가 충족되고 있다.

**02** 임신과 출산을 위해 모성을 보호하고 육아를 지원하기 위한 가정생활 복지 서비스를 <보기>에서 모두 고른 것은?

┤ 보기 ├
ㄱ. 재가 급여 지원 제도
ㄴ. 육아 휴직 제도
ㄷ. 배우자 출산 휴가 제도
ㄹ. 출산 전후 휴가 제도
ㅁ. 육아기 근로 시간 단축 제도
ㅂ. 국가 장학금 지원 제도
ㅅ. 장기 요양 급여 지원 제도
ㅇ. 생애 전환기 건강 진단 지원 제도

① ㄱ, ㄷ, ㅂ
② ㄱ, ㄷ, ㅇ
③ ㄴ, ㄷ, ㄹ, ㅁ
④ ㄷ, ㄹ, ㅅ, ㅇ
⑤ ㄷ, ㅂ, ㅅ, ㅇ

**03** 그림의 (가) 시기에 제공할 수 있는 가정생활 복지 서비스는?

① 임금 피크제 도입
② 영구 임대 주택 공급
③ 통합 문화 이용권 지급
④ 공동 육아 나눔터 운영
⑤ WEE 클래스 상담 지원

0~2세 2~6세 6~12세 12~19세
└─ (가) ─┘

**04** 다음이 설명하고 있는 노년기의 가정생활 복지 서비스는?

생활이 어려운 어르신에게 안정적인 소득 기반을 제공하여 생활 안정을 지원하는 서비스이다.

① 재가 급여
② 기초 연금
③ 임금 피크제 지원금
④ 노인 돌봄 종합 서비스
⑤ 장기 요양 급여 이용 지원

[05~06] 다음은 한 가정이 겪는 어려움을 나타낸 것이다. 물음에 답하시오.

민수 씨는 베트남에 출장을 갔다가 지금의 아내를 만나 결혼하여 한국에서 살고 있다. 몇 년 전에는 예쁜 딸도 낳아서 기르고 있다. 하지만 여전히 한국 문화에 적응하는 것을 어려워하는 아내와 이제 슬슬 유치원에 다니면서 친구들을 사귀어야 할 딸이 걱정된다.

**05** 이러한 상황을 경험할 수 있는 가족의 형태는?

① 조손 가족
② 노인 가족
③ 다문화 가족
④ 한부모 가족
⑤ 저소득층 가족

**06** 이러한 가족이 지원 받을 수 있는 가정생활 복지 서비스로 적절하지 않은 것은?

① 다문화 보육료 지원
② 주거 환경 개선 자금 지원
③ 결혼 이민 여성 인턴 운영
④ 다문화 가족 지원 사업 운영
⑤ 다문화 가족 방문 교육 서비스

**07** 다음과 같은 상황에서 활용할 수 있는 가정생활 복지 서비스로 옳지 <u>않은</u> 것은?

> 한 가정의 가장인 K 씨는 최근에 일을 하다가 오른쪽 다리를 크게 다쳐 직장에 수개월째 나가지 못하고 있다. 이 부상으로 인해 K 씨는 지체 장애 4급 판정을 받았다.

① 장애 수당
② 기초 연금
③ 장애인 연금
④ 의료비 지원
⑤ 장애인 복지 일자리

**08** <보기>에서 경제적 기술에 해당하는 것을 <u>모두</u> 고른 것은?

> ─┤ 보기 ├─
> ㄱ. 생산의 의미
> ㄴ. 수요와 공급 곡선
> ㄷ. 용돈 기입장 기록하기
> ㄹ. 적금 상품 선택하기
> ㅁ. 채권의 의미
> ㅂ. 환율 계산하기

① ㄱ, ㄴ, ㄷ
② ㄱ, ㄷ, ㄹ
③ ㄴ, ㄹ, ㅁ
④ ㄷ, ㄹ, ㅂ
⑤ ㄷ, ㅁ, ㅂ

**09** 경제적 자립의 중요성에 대한 설명으로 옳지 <u>않은</u> 것은?

① 소득에 대해 예산을 세우고 관리할 수 있다.
② 경제적으로 자립을 못할 경우, 잘못된 경제관념을 가질 수 있다.
③ 개인의 경제적 자립은 사회, 국가의 재정 상태에 영향을 미치지 않는다.
④ 가족원의 경제적 자립을 위해 본인뿐만 아니라 가족도 함께 힘써야 한다.
⑤ 저축을 통한 장기적 목표를 세워 보다 나은 미래를 이루는 데 도움이 된다.

**10** 가정 경제의 안정을 위협하는 요소 중 예측할 수 <u>없는</u> 것은?

① 동조 소비
② 결혼 준비금
③ 자녀 양육비
④ 주택 확장 자금
⑤ 자녀 독립 지원금

┤ 자주 출제되는 문제 ├

**11** 다음 (가) 시기의 예측할 수 있는 위협 요소를 <보기>에서 <u>모두</u> 고른 것은?

| (가) | 자녀 출산 및 양육기 | 자녀 교육기 | 자녀 독립기 | 은퇴기 |
|------|------|------|------|------|

> ─┤ 보기 ├─
> ㄱ. 결혼 준비금
> ㄴ. 과소비 자금
> ㄷ. 자녀 교육비
> ㄹ. 주택 마련 자금
> ㅁ. 교통사고 치료비

① ㄱ, ㄴ
② ㄱ, ㄹ
③ ㄴ, ㄷ
④ ㄷ, ㄹ
⑤ ㄹ, ㅁ

**12** 사회 보장 제도에 관한 설명으로 옳지 <u>않은</u> 것은?

① 사회 보험은 강제적인 성격을 띤다.
② 건강 보험 제도는 사회 보험에 속한다.
③ 사회 보험은 국가에서 비용을 전부 부담한다.
④ 국민 기초 생활 보호 제도는 공적 부조에 해당한다.
⑤ 사회 보험은 능력별 부담으로 상호 부조의 성격을 갖는다.

┤ 틀리기 쉬운 문제 ├

**13** 사회 보험에 해당하는 것을 <보기>에서 <u>모두</u> 고른 것은?

> ─┤ 보기 ├─
> ㄱ. 건강 보험
> ㄴ. 고용 보험
> ㄷ. 자동차 보험
> ㄹ. 생명 보험
> ㅁ. 화재 보험

① ㄱ, ㄴ
② ㄱ, ㄷ
③ ㄴ, ㄷ
④ ㄷ, ㄹ
⑤ ㄹ, ㅁ

**14** 사회 보험 중 근로자가 실직할 때 생활 안정을 위해 일정 기간 동안 급여의 일부를 국가에서 지급하는 것은?

① 연금 보험
② 고용 보험
③ 건강 보험
④ 손해 보험
⑤ 산업 재해 보상 보험

틀리기 쉬운 문제

**15** 고정 지출에 해당하는 것을 <보기>에서 모두 고른 것은?

┤ 보기 ├
ㄱ. 식품비          ㄴ. 교육비
ㄷ. 의복비          ㄹ. 경조사비
ㅁ. 자동차 보험료

① ㄱ, ㄴ          ② ㄱ, ㄷ          ③ ㄴ, ㅁ
④ ㄷ, ㅁ          ⑤ ㄹ, ㅁ

**16** (가) 단계에서 지출을 위해 고려할 점에 해당하는 것을 <보기>에서 모두 고른 것은?

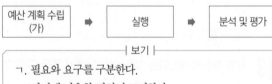

예산 계획 수립 (가) ➡ 실행 ➡ 분석 및 평가

┤ 보기 ├
ㄱ. 필요와 요구를 구분한다.
ㄴ. 어디에 저축할 것인지 고려한다.
ㄷ. 얼마나 저축할 것인지 고려한다.
ㄹ. 무엇을 위해 저축할 것인지 고려한다.
ㅁ. 고정 지출과 변동 지출을 고려한다.

① ㄱ, ㄴ          ② ㄱ, ㄷ          ③ ㄱ, ㅁ
④ ㄴ, ㄹ          ⑤ ㄴ, ㅁ

**17** 가정 경제 관리 과정에서 분석 평가 단계에 대한 설명으로 옳은 것은?

① 고정 지출과 변동 지출을 고려한다.
② 무엇을 위해 저축할 것인지를 고려한다.
③ 필요한 비용을 미리 계산하여 분배한다.
④ 실행 여부를 비교하고 분석하기 위해 기록한다.
⑤ 초과 지출이 발생할 때는 예산의 조정이 필요하다.

[18~19] 청소년의 소비문화에 대한 그림을 보고, 물음에 답하시오.

**18** 그림과 가장 관련이 깊은 현대 소비의 문제점은?

① 과소비
② 과시 소비
③ 동조 소비
④ 충동 소비
⑤ 로컬 소비

**19** 그림과 같은 소비 행동이 사회와 환경에 미치는 영향을 <보기>에서 모두 고른 것은?

┤ 보기 ├
ㄱ. 경제적 빈곤을 초래할 수 있다.
ㄴ. 불필요한 자원 낭비가 발생한다.
ㄷ. 사회 계층적 불평등을 초래할 수 있다.

① ㄱ                    ② ㄴ
③ ㄷ                    ④ ㄱ, ㄴ
⑤ ㄱ, ㄴ, ㄷ

**20** 지속 가능한 소비에 대한 설명으로 옳지 <u>않은</u> 것은?

① 미래를 생각하는 소비
② 미래 세대 욕구에 희생을 요구하는 소비
③ 소비 환경에 나쁜 영향을 최대한 줄이려는 소비
④ 자연이 가진 원래의 상태를 유지할 수 있는 소비
⑤ 바람직한 생산 문화를 만들기 위해 노력하는 소비

**21** 다음에서 설명하고 있는 소비 생활 문화는?

> 물질적 풍요나 편리성을 강조하기보다는 환경 보전과 생태계 균형이라는 측면에서 공해 물질을 최소화할 수 있는 상품을 소비하여 소비자의 삶의 질을 향상하는 데 초점을 맞춘 소비 활동이다.

① 로컬 소비 　　② 녹색 소비
③ 착한 소비 　　④ 윤리적 소비
⑤ 로하스 소비

**22** <보기>에서 설명하고 있는 소비 생활 문화는?

> ┤ 보기 ├
> • 지역에서 생산된 제품을 그 지역의 주민이 소비하는 것을 말한다.
> • 유통 과정에서 발생하는 이산화 탄소 배출을 줄일 수 있다.

① 로컬 소비 　　② 녹색 소비
③ 착한 소비 　　④ 윤리적 소비
⑤ 생산을 주도 하는 소비

**23** 다음 설명에 해당하는 소비 생활 문화의 사례로 가장 적절한 것은?

> 생산자(Producer) 또는 전문가(Professional)와 소비자(Consumer)의 합성어로, 제품을 사용하는 소비자인 동시에 제품 개발 및 생산 과정에 참여하는 생산자의 역할을 하는 사람을 뜻한다.

① 공정 무역 초콜릿을 구입한다.
② 푸드 뱅크를 통해 남은 식품을 기부한다.
③ 신제품 개발에 소비자의 의견을 반영한다.
④ 재활용품을 교환할 수 있는 장터를 마련한다.
⑤ 이산화 탄소의 발생량을 줄이는 생활을 실천한다.

**24** <보기>와 같은 발달 과제를 수행해야 하는 시기는?

> ┤ 보기 ├
> • 심신의 건강 유지
> • 친구 관계 유지 및 사회관계 적응
> • 경제적 안정 도모
> • 주거 환경의 재조정

① 형성기 　　② 노년기
③ 자녀 교육기 　　④ 자녀 결혼기
⑤ 자녀 성년기

**25** 그림과 가장 관련이 있는 제도는?

① 재택 근무제
② 국민 건강 보험 제도
③ 가족 간호 휴직 제도
④ 가족 친화 인증 제도
⑤ 건강 가정 지원 센터 운영

**26** 노년기에 생길 수 있는 증상 중 신체 노화를 예방하기 위한 효과적인 방법을 <보기>에서 모두 고른 것은?

| 보기 |
ㄱ. 일광욕을 한다.
ㄴ. 골밀도를 높이도록 노력한다.
ㄷ. 칼슘이 풍부한 식품을 충분히 섭취한다.
ㄹ. 수영, 걷기, 맨손 체조 등의 운동을 꾸준히 한다.

① ㄱ, ㄴ  ② ㄴ, ㄷ
③ ㄷ, ㄹ  ④ ㄱ, ㄴ, ㄹ
⑤ ㄱ, ㄴ, ㄷ, ㄹ

**27** 다음의 ㉠과 ㉡에 들어갈 알맞은 말을 바르게 짝지은 것은?

성공적 ( ㉠ )를 이루려면 스스로의 준비도 필요하지만, 가족과 사회의 적절한 보살핌이 있어야 한다. 이 시기에는 가족을 통해 불안을 해소하고 안정감을 갖게 된다. 또한 건강 유지와 소속의 욕구 충족은 자아 ( ㉡ ) 유지와 자존감 향상에 도움이 된다.

| ㉠ | ㉡ | | ㉠ | ㉡ |
|---|---|---|---|---|
| ① 노후 | 통합감 | | ② 노후 | 존중감 |
| ③ 노화 | 만족감 | | ④ 노화 | 정체감 |
| ⑤ 노화 | 유대감 | | | |

자주 출제되는 문제

**28** 그림과 관련 있는 노년기 적응 유형으로 옳은 것은?

① 무장형
② 분노형
③ 성숙형
④ 은둔형
⑤ 자학형

다 내 탓이야.

**서술형 문제**

**29** 합리적인 가정 경제를 위해 예산을 수립할 때 저축의 측면에서 고려할 점을 두 가지 이상 서술하시오.

**30** 학교에서 지속 가능한 소비 생활을 실천하는 방법을 두 가지 이상 서술하시오.

**31** 일·가정 양립의 실현을 위한 가족 가치관을 형성하는 방안에 대해 서술하시오.

**32** 행복하고 자립적인 노후 생활을 누리기 위한 사회적 준비 방안에 대해 서술하시오.

예시 답안 **134**쪽

우리나라 사람들의 기대 수명 변화에 관한 그래프와 수명에
대한 글을 읽고, 물음에 답하시오.

(가)

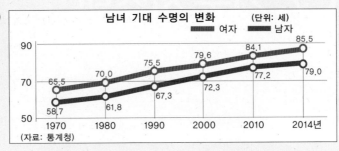

남녀 기대 수명의 변화 (단위: 세)
여자 ─ 남자

85.5 84.1 79.6 75.5 70.0 65.5 58.7 61.8 67.3 72.3 77.2 79.0

1970 1980 1990 2000 2010 2014년
(자료: 통계청)

(나)

수명이란, 개인이 얼마나 오랫동안 생존할 수 있는지를 나타내는 햇수를 말한다. 수명의 연장은
인구 고령화의 주요 원인이자 인생 주기 자체를 변화시키는 중요한 변화이다. 즉, 수명이
길어진다는 것은 어느 때보다도 긴 노년기를 보낼 수 있게 되었음을 의미한다. 노년기는 인생 제
1막과는 다른, 그동안 이루지 못했던 새로운 꿈을 펼치는 인생 제2막이 펼쳐지는 시기이다. 행복한
제2인생을 보내려면 독립적 생활을 할 수 있는 건강, 경제적 여유, 보람 있는 시간을 만들어 낼 수
있는 적절한 활동이 보장되어야 한다. 이를 갖추기 위해서는 어린 시절부터 미리 준비를 해야
하는데, 이것이 바로 제2인생 설계의 의미이다.

01. 노후 생활 준비의 중요성에 대해 서술하시오.
02. 행복하고 자립적인 노후 생활을 위해 준비해야 할 사항에 대해 서술하시오.

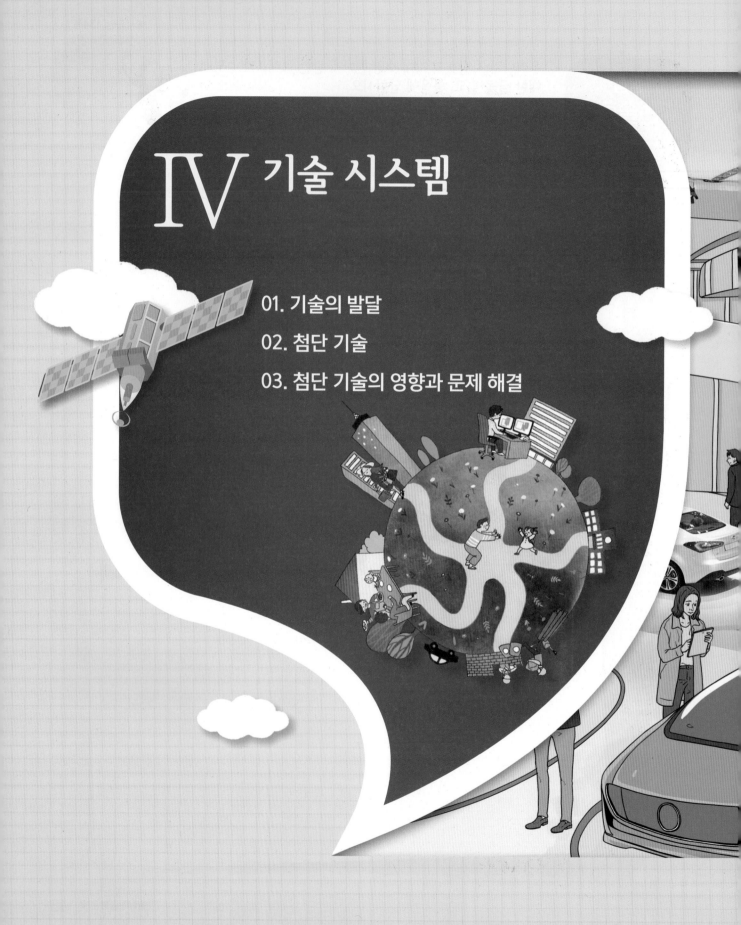

# IV 기술 시스템

| 중단원 | 소단원 | 성취 기준 | 학습 요소 |
|---|---|---|---|
| 01. 기술의 발달 | 1. 기술의 이해 | · 기술의 개념을 설명할 수 있다.<br>· 기술의 분야를 설명할 수 있다. | – 기술<br>– 기술 분야 |
| | 2. 기술의 발달과 융합 | · 기술의 발달에 따라 개량되거나 만들어진 제품으로 최신 기술의 활용 방안을 설명할 수 있다.<br>· 융합 형태로 발달하는 기술의 방향을 예측하고 발표할 수 있다. | – 기술의 발달<br>– 기술의 융합 |
| 02. 첨단 기술 | 1. 첨단 제조 기술 | · 첨단 제조 기술이 산업의 발달과 우리 생활에 미치는 영향을 설명할 수 있다.<br>· 미래에 활용 가능한 첨단 제조 기술의 분야를 예측할 수 있다. | – 메카트로닉스<br>– 나노 기술<br>– 3D 프린팅 |
| | 2. 첨단 건설 기술 | · 첨단 건설 기술의 핵심 기술과 동향을 파악할 수 있다.<br>· 건설 기술에서 활용되고 있는 재난 예방과 관련된 예를 조사하여 발표할 수 있다. | – 초장대 교량<br>– 모듈러 하우스<br>– 패시브 하우스 |
| | 3. 첨단 생명 기술 | · 생명 기술이 인류의 식량 자원 확보에 기여할 수 있는 방안을 설명할 수 있다.<br>· 로봇과 통신 기술이 의료 기술과 원격 의료에 활용되는 사례를 설명할 수 있다. | – 식물 공장<br>– 유전자 가위 기술<br>– 광유전학 기술<br>– 통신 기술과 원격 의료 |
| | 4. 첨단 수송 기술 | · 새롭게 등장한 수송 수단의 종류와 특징을 설명할 수 있다.<br>· 우주 항공 기술 분야의 발전 방안을 토의하고 발표할 수 있다. | – 전기 자동차<br>– 하이브리드 자동차<br>– 수소 연료 전지 자동차<br>– 드론<br>– 우주 엘리베이터 |
| | 5. 첨단 통신 기술 | · 정보 통신 기술 분야의 첨단 기술을 조사하여 설명할 수 있다.<br>· 정보 통신 산업의 발전 방안을 토의하고 발표할 수 있다. | – 사물 인터넷<br>– 빅 데이터 |
| 03 첨단 기술의 영향과 문제 해결 | 1. 첨단 기술의 영향 | · 첨단 기술이 미치는 영향에 대해 설명할 수 있다.<br>· 기술 영향 평가를 이해하고 적용할 수 있다. | – 첨단 기술의 영향<br>– 기술 영향 평가 |
| | 2. 첨단 기술과 관련된 문제 해결 | · 첨단 기술 관련 문제를 설명할 수 있다.<br>· 첨단 기술 관련 문제의 해결책을 창의적으로 탐색하고 실현하며 평가할 수 있다. | – 첨단 기술 관련 문제 |

# IV 기술 시스템

**핵심 정리**

## 1. 기술의 이해

### 1 기술의 이해

과학 이론을 실제로 적용하여 자연의 사물을 인간 생활에 유용하도록 가공하는 수단 또는 사물을 잘 다룰 수 있는 방법이나 능력

### 2 기술의 분야

① **제조 기술**: 도구나 기계를 사용하여 인간에게 유용한 제품을 만들어 내는 수단이나 활동
② **건설 기술**: 주택, 교량, 항만, 댐 등과 같이 사람이 생활하는 데 필요한 구조물을 세우는 수단이나 활동
③ **생명 기술**: 생명체를 이용하여 인간에게 유용한 제품을 생산하는 수단이나 활동
④ **수송 기술**: 사람이나 물건을 한 곳에서 다른 곳으로 이동시키는 수단이나 활동
⑤ **정보 통신 기술**: 개인이나 집단이 서로 정보를 주고받는 수단이나 활동

## 2. 기술의 발달과 융합

### 1 기술의 발달

① **발전 방향**: 인간의 능력을 확대하고 편리함을 추구하는 방향으로 발전
② **자동차, 기차, 비행기, 제트기 등의 개발**: 먼 거리를 빠르고 편안하게 이동
  • 방직기: 실이나 섬유로 천을 짜는 기계
  • 방적기: 실을 뽑아 내는 기계
③ **방직기, 방적기**: 생산 속도 향상, 대량 생산 가능
④ **전화기, 라디오, 텔레비전**: 먼 곳까지 소리 및 영상 통신
⑤ **컴퓨터, 스마트폰, 로봇**: 인간의 사고 및 활동 능력 확대
⑥ **무인 자동차**: 사물 인터넷과 정보 통신 기술, 자동차 기술의 융합
⑦ **다기능 로봇**: 인공 지능과 기계와의 융합
⑧ **머신 딥 러닝**: 기계 스스로 학습하는 기술, 인공 지능의 도래 촉진

### 2 기술의 융합

① 산업 구조의 변화
  ㉠ **1차 산업 혁명**: 수증기의 동력화, 생산 기계화
  ㉡ **2차 산업 혁명**: 전력, 노동 분업, 대량 생산
  ㉢ **3차 산업 혁명**: 전자 기기, IT 발전, 생산 자동화
  ㉣ **4차 산업 혁명**: 융합 기술, 지능형 최적 생산
② **융합 기술**: 두 가지 이상의 과학 기술이나 학문 분야가 결합되어 효과를 극대화한 기술
  ㉠ **나노 기술**: 10억 분의 1미터인 나노미터에 근접한 작은 크기 단위에서 물질을 합성·조립·제어하여 나노 소재, 나노 부품, 나노 시스템 등을 만드는 기술
  ㉡ **바이오 기술**: 생물체가 가지는 유전·번식·성장·자기 제어 및 물질 대사 등의 기능과 정보를 이용하여 인류에게 필요한 물질과 서비스를 가공·생산하는 기술
  ㉢ **정보 기술**: 전기 통신, 방송, 컴퓨팅(정보 처리, 컴퓨터 네트워크, 컴퓨터 하드웨어, 컴퓨터 소프트웨어, 멀티미디어), 통신망 등 사회 기반을 형성하는 유형 및 무형의 기술
  ㉣ 산업과 서비스 간의 융합을 넘어 경제, 산업 전 분야에 걸쳐 많은 변화 초래
  ㉤ 의료, 건강, 안전, 에너지, 환경 문제 등 미래의 사회 문제를 해결할 수 있는 혁신 기술로 발전
③ **융합 기술의 사례**: U-헬스 케어 서비스, 나노 로봇, 비휘발성 메모리, 3차원 메모리 반도체, 나노 바이오센서, 바이오 나노 소재, 나노 인공 장기, 양자 컴퓨터 등
  ㉠ **양자 컴퓨터**: 원자 이하의 차원에서 입자의 움직임을 기반으로 자료를 계산하고 처리하는 컴퓨터
  ㉡ 정보 기술(IT: Information Technology)
    생명 기술(BT: Biology Technology)
    나노 기술(NT: Nano Technology)

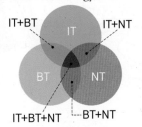

①

교과서 115쪽

### 기술의 분야

우리 주변에서 볼 수 있는 각 기술 분야의 수단이나 활동 등에는 어떤 것들이 있는지 조사하여 보자.

**예시 답안**

- 제조 기술: 냉장고, 자동차 조립 기술, 공장 자동화 기술 등
- 건설 기술: 학교, 병원, 교회, 슈퍼, 공장, 빌딩, 상가, 아파트, 빌라, 주택, 도로, 교량, 댐, 철도 등
- 생명 기술: 의약품 개발, 백신 개발, 식품의 대량 생산 기술, 동물 복제 기술, 병충해에 강한 식물 생산 기술, 유전자 변형 동물 탄생 기술, 유전병 치료 기술 등
- 수송 기술: 오토바이, 자전거, 기차, 선박, 비행기, 제트기, 로켓, 극초음속 비행기, 무인 자동차, 하이퍼루프 등
- 정보 통신 기술: 인터넷, 무선 인터넷, TV, 라디오, 휴대 전화 통신 기술, 사물 인터넷 기술, 컴퓨터, 웨어러블 기기, 클라우드 컴퓨팅, 빅 데이터 등

스스로 **활동** ②

교과서 118쪽

### 미래의 융합 기술

기술의 발달은 초기의 단순 기술 간의 융합에서 시작하여 기기 간의 융합, 나아가 각각의 서비스가 서로 융합되어 새로운 형태의 기술로 발전해 왔다. 미래의 기술은 어떤 방향으로 발달하게 될 것인지 생각하여 발표해 보자.

**예시 답안**

그동안의 융합 기술은 독립된 기존 제품에 서비스가 고도화되면서 기능과 편의성이 향상되고 기존 산업이 개선되어 왔다면 앞으로의 융합 기술은 기술적으로 개별 요소 기술들의 특성 간 경계가 무너지면서 신기술을 이루어 발전할 것이다. 혁신성과 독창성을 바탕으로 기존 시장의 확대를 넘어서서 새로운 시장을 형성하며 새로운 특성을 갖는 혁신적인 기술을 창출하는 방향으로 발전할 것이다.

---

## ✺ 개념 확인 문제

**1** 과학 이론을 실제로 적용하여 자연의 사물을 인간 생활에 유용하도록 가공하는 수단, 또는 사물을 잘 다룰 수 있는 방법이나 능력을 무엇이라고 하는지 쓰시오.

**2** 도구나 기계를 사용하여 인간에게 유용한 제품을 만들어 내는 수단이나 활동은?

① 건설 기술     ② 수송 기술
③ 제조 기술     ④ 생명 기술
⑤ 정보 통신 기술

**3** 걷거나 말을 타고 이동하는 속도를 보완하기 위해 자동차와 기차가 발명되었고, 비행기, 제트기 등이 개발되면서 먼 거리를 빠르고 편리하게 이동할 수 있게 되었다.

( O , X )

**4** 다음 중 가장 먼저 개발된 자동차는?

① 디젤 자동차     ② 증기 자동차
③ 가솔린 자동차     ④ 무인 자동차
⑤ 하이브리드 자동차

**5** 인공 지능과 기계와의 융합으로 다양한 기능을 갖춘 로봇이 개발되고, 더 나아가 기계가 스스로 학습하는 (　　　　) 러닝 기술은 인공 지능의 시대를 촉진하고 있다.

**6** 두 가지 이상의 과학 기술이나 학문 분야가 결합되어 효과를 극대화한 기술을 무엇이라고 하는지 쓰시오.

**정답**  1. 기술 2. ③ 3. O 4. ② 5. 머신 6. 융합 기술

**01** 기술에 대한 설명으로 바르지 <u>않은</u> 것은?

① 사물을 잘 다룰 수 있는 방법이나 능력을 말한다.
② 자연의 사물을 인간 생활에 유용하도록 가공하는 수단이다.
③ 생산 기술에는 제조 기술, 건설 기술, 생명 기술이 포함된다.
④ 기술의 분야를 생산 기술, 정보 통신 기술, 수송 기술로 분류하기도 한다.
⑤ 개인이나 집단이 서로 정보를 주고받는 수단이나 활동을 수송 기술이라 한다.

**02** <보기>는 기술의 발달에 대한 설명이다. 올바른 것을 <u>모두</u> 고른 것은?

| 보기 |

ㄱ. 걷거나 말을 타고 이동하는 속도를 보완하기 위해 자동차와 기차가 발명되었다.
ㄴ. 손으로 옷감을 짜게 되면서 생산 속도가 빨라지고, 대량 생산도 가능하게 되었다.
ㄷ. 비행기, 제트기 등이 개발되면서 먼 거리를 빠르고 편리하게 이동할 수 있게 되었다.
ㄹ. 전화기, 라디오와 텔레비전 등이 발명되어 먼 곳까지 소리와 영상을 주고 받을 수 있게 되었다.
ㅁ. 컴퓨터, 스마트폰, 로봇 등이 개발되어 인간의 사고 및 활동 능력을 확대할 수 있게 되었다.

① ㄱ, ㄴ, ㄷ, ㄹ
② ㄱ, ㄴ, ㄷ, ㅁ
③ ㄱ, ㄷ, ㄹ, ㅁ
④ ㄱ, ㄴ, ㄹ, ㅁ
⑤ ㄴ, ㄷ, ㄹ, ㅁ

**03** 다음 중 가장 최근에 발명된 제품은?

① 3D 프린터
② 증기 기관차
③ 동력 비행기
④ 디젤 자동차
⑤ 방적기와 방직기

**04** 인공 지능 개발을 위해 사람의 사고방식을 컴퓨터에게 가르치는 기계 학습의 한 분야는?

① 증강 현실
② 가상 현실
③ 인터넷 뱅킹
④ 사물 인터넷
⑤ 머신 딥 러닝

**05** 다음에서 설명하는 기술은?

> 전기 통신, 방송, 컴퓨팅(정보 처리, 컴퓨터 네트워크, 컴퓨터 하드웨어, 컴퓨터 소프트웨어, 멀티미디어), 통신망 등 사회 기반을 형성하는 유형 및 무형의 기술이다.

① 나노 기술
② 정보 기술
③ 바이오 기술
④ 메모리 기술
⑤ 헬스 케어 기술

**06** 4차 산업 혁명의 특징으로 옳은 것은?

① IT 발전
② 노동 분업
③ 생산의 자동화
④ 생산의 기계화
⑤ 지능형 최적 생산

**07** 융합 기술의 사례로 보기 <u>어려운</u> 것은?

① 전파 망원경
② 비휘발성 메모리
③ 나노 바이오센서
④ 바이오 나노 소재
⑤ U-헬스 케어 서비스

**01** <보기>는 기술의 분야에 대한 설명이다. (가), (나), (다)에서 설명하는 기술이 바르게 연결된 것은?

> ┤ 보기 ├
>
> (가): 도구나 기계를 사용하여 인간에게 유용한 제품을 만들어 내는 수단이나 활동이다.
> (나): 주택, 교량, 항만, 댐 등과 같이 사람이 생활하는 데 필요한 구조물을 세우는 수단이나 활동이다.
> (다): 사람이나 물건을 한 곳에서 다른 곳으로 이동시키는 수단이나 활동이다.

| | (가) | (나) | (다) |
|---|---|---|---|
| ① | 제조 기술 | 수송 기술 | 건설 기술 |
| ② | 제조 기술 | 건설 기술 | 수송 기술 |
| ③ | 수송 기술 | 제조 기술 | 건설 기술 |
| ④ | 수송 기술 | 건설 기술 | 제조 기술 |
| ⑤ | 건설 기술 | 생명 기술 | 수송 기술 |

**02** 생명 기술과 가장 관련이 있는 제품은?

① SNS
② 냉장고
③ 의약품
④ 오토바이
⑤ 학교 건물

**03** 다음에서 설명하는 기술은?

> 가전제품, 모바일 장비, 웨어러블 컴퓨터 등 다양한 기기에 센서와 통신 기능을 내장하여 인터넷에 연결하는 기술이다.

① 증강 현실
② 가상 현실
③ 인터넷 뱅킹
④ 사물 인터넷
⑤ 머신 딥 러닝

**04** 자동차의 발달 순서를 바르게 나열한 것은?

① 디젤 자동차 → 가솔린 자동차 → 증기 자동차 → 무인 자동차
② 디젤 자동차 → 증기 자동차 → 가솔린 자동차 → 무인 자동차
③ 증기 자동차 → 가솔린 자동차 → 디젤 자동차 → 무인 자동차
④ 증기 자동차 → 디젤 자동차 → 가솔린 자동차 → 무인 자동차
⑤ 가솔린 자동차 → 디젤 자동차 → 증기 자동차 → 무인 자동차

**05** 산업 구조의 변화에 따른 시대별 주요 특징을 순서대로 나열한 것은?

① 노동 분업, 대량 생산 - 생산 기계화 - IT, 생산 자동화 - 지능형 최적 생산
② 노동 분업, 대량 생산 - IT, 생산 자동화 - 생산 기계화 - 지능형 최적 생산
③ 생산 기계화 - IT, 생산 자동화 - 노동 분업, 대량 생산 - 지능형 최적 생산
④ 생산 기계화 - 노동 분업, 대량 생산 - IT, 생산 자동화 - 지능형 최적 생산
⑤ 지능형 최적 생산 - 생산 기계화 - 노동 분업, 대량 생산 - IT, 생산 자동화

**06** 원자 이하의 차원에서 입자의 움직임을 기반으로 자료를 계산하고 처리하는 것은?

① 양자 컴퓨터
② 사물 인터넷
③ 비휘발성 메모리
④ 나노 바이오센서
⑤ 3차원 메모리 반도체

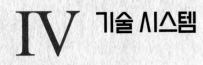

**핵심 정리**

**출제 point**
1. 첨단 제조 기술을 이해하고, 그 활용과 전망을 묻는 질문
2. 첨단 건설 기술을 이해하고, 그 활용과 전망을 묻는 질문
3. 첨단 생명 기술을 이해하고, 그 활용과 전망을 묻는 질문
4. 첨단 수송 기술을 이해하고, 그 활용과 전망을 묻는 질문
5. 첨단 통신 기술을 이해하고, 그 활용과 전망을 묻는 질문

## 1. 첨단 제조 기술

### ❶ 제조 기술의 이해

① **제조 기술 발달의 영향**: 편리한 가정생활에 기여, 사무 자동화로 업무의 효율성 향상, 산업용 로봇과 공장 자동화로 생산성 향상, 대량 생산 및 표준화, 품질 향상 등
② **발전**: 무인 자동화 공장, 컴퓨터, 로봇, 스마트 기기 등

### ❷ 첨단 제조 기술

① **메카트로닉스**: 기계와 전자 기술을 복합적으로 적용한 기술 분야로 자동화 제조 기술로 발달
② **나노 기술**: 물체를 원자나 분자 수준에서 분석·조작·제어하여 새로운 물질을 만드는 기술
③ **3D 프린팅 기술**: 큰 덩어리를 조각하듯 깎아 내는 절삭형과 층층이 쌓아 올려 형상을 만들어 내는 적층형으로 나뉨. 시제품의 제작 비용 및 시간 절감, 다품종 소량 생산과 맞춤형 제품 제작에 효율적

### ❸ 첨단 제조 기술의 전망

가상의 세계와 실제를 연결, 제품의 지능화 및 감성화, 개인 맞춤형 생산 및 거래 확산, 디지털 데이터를 중심으로 한 제품 설계, 시제품 제작, 제조·생산, 유통 등의 융합 발전

## 2. 첨단 건설 기술

### ❶ 건설 기술의 이해

① **건축 기술**: 인간이 쾌적하고 안전하며 능률적인 생활을 하는 데 필요한 공간을 만드는 기술(주택, 빌딩 등)
② **토목 기술**: 인간이 편리하고 안락한 생활을 위해 자연환경이나 자원을 효율적으로 개량하는 기술(철도, 교량, 댐 등)

### ❷ 첨단 건설 기술

① **초고층 빌딩**: 건물 내 모든 생활의 서비스 제공, 도심의 랜드 마크, 도시 경쟁력 향상
② **초장대 교량**: 주경 간(교각과 교각 사이의 거리) 거리가 사장교는 1,000m 이상, 현수교는 2,000m 이상인 교량
③ **재난·재해 예방 건설**: 내진 설계 및 화재 안전 설계

### ④ 친환경 건설

㉠ **모듈러 하우스**: 공장에서 주택 건설의 전체 공정 중 대부분을 제작한 뒤 현장에서 조립과 일부 마감 공사로 완성하는 주택

> 단열 기능이 뛰어난 재료를 사용하여 집 밖으로 나가는 열을 차단

㉡ **에너지 제로 하우스**: 에너지 사용으로 발생하는 탄소의 배출이 없는 주택(패시브 하우스, 액티브 하우스 등)

> 신재생 에너지를 이용하여 에너지를 자체 생산

### ❸ 첨단 건설 기술의 전망

부족한 주거 공간 해결, 초고층 빌딩의 건설 증가, 지하 및 해저 도시의 건설 확대, 환경 친화 건설 기술 발달, 신재생 에너지와 첨단 건설 기술의 융합 발전 등

## 3. 첨단 생명 기술

### ❶ 생명 기술의 이해

① **생명 기술**: 생물체의 생명 현상이나 기능을 활용하여 인간에게 유용한 물질을 생산하는 수단이나 활동
② **활용**: 유전자 재조합, 세포 융합, 조직 배양, 핵 이식 등

### ❷ 첨단 생명 기술

① **유전자 변형 생명체(GMO)**: 유전자 재조합 기술을 이용하여 생명체에 유용한 유전자와 다른 생명체의 유전자를 결합시켜 특정한 목적에 맞도록 유전자 일부를 변형하여 만든 생명체
② **식물 공장**: 빛, 온도, 습도, 이산화 탄소 등을 인공적으로 제어하여 계절, 기상 이변, 자연환경, 장소 등의 제약을 받지 않고 계획적, 안정적으로 작물을 생산할 수 있는 재배 시스템
③ **의료 분야**

> 돌연변이, 혈우병 등 치료

㉠ **유전자 가위 기술**: 유전체에서 원하는 부위의 DNA를 정교하게 잘라내는 기술
㉡ **광유전학 기술**: 빛을 이용해 신경 세포의 활동을 조절하는 기술

> 시각 장애, 파킨슨병, 우울증 등 치료

㉢ **로봇과 정보 통신 기술을 활용**: 바이오닉스(bionics), U-헬스 케어, 전자 약, 바이오센서, 딥 헬스, 의료용 로봇 등으로 질병 치료

**❸ 첨단 생명 기술의 전망**

　유전체를 분석하여 조작하는 기술과 손상된 장기를 재생하거나 이식하는 기술, 정보 통신 기술을 활용하여 시공간을 뛰어넘어 질병의 진단과 예방, 치료 등 예상

## 4. 첨단 수송 기술

**❶ 수송 기술의 이해**

① **수송 기술**: 자동차, 기차, 선박, 비행기 등과 같은 수송 수단을 이용하여 더욱 빠르고 경제적이며 안전하게 이동시키는 방법이나 활동

② **활용**: 지능형 교통 시스템, 무인 수송 기술, 국토 모니터링 등
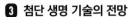
└ 기존 교통 체계에 전자, 제어, 통신 기술을 접목하여 교통 혼잡과 안전성을 증진시키는 교통 체계이다.

**❷ 첨단 수송 기술**

① **육상 수송**: 지상이나 지하를 이용하는 자동차, 기차 등
　㉠ **친환경 자동차**: 하이브리드 자동차, 플러그인 하이브리드 자동차, 전기 자동차, 수소 연료 전지 자동차 등
　㉡ **무인 자동차**: 차량 스스로 주변 환경과 상황을 인식 및 판단하여 운전자 없이 이동, 핵심 기술은 자기 위치 추적, 주변 환경 인식, 경로 생성, 차량 제어 등
　㉢ **하이퍼루프**: 전자기 가속기를 이용하여 공중 부양 상태로 객차를 나르는 친환경 수송 수단으로, 속도가 매우 빠르고 교통 체증이 없어 수송 시간 단축
　㉣ **기타 개인용 육상 수송 수단**: 1인용 자동차, 접는 자동차 등

② **해상 수송**: 물 위나 물속에서 사람이나 물건을 운반하는 수송 수단으로, 첨단 해상 수송 수단에는 초전도 전기 추진 선박, 위그선, 원자력선, 자가용 잠수정, 무인 선박 등

③ **항공 우주 수송**: 대기권이나 우주 공간에서 사람이나 물건을 운반하는 수송 수단
　└ 항공 수송 기술과 해상 수송 기술을 융합한 선박으로 수면 위를 떠서 달린다.
　㉠ **드론**: 무선 전파의 유도에 의해 비행하는 무인 항공기
　㉡ **우리나라의 항공 우주 기술**: 2013년 나로 우주 센터에서 나로호 발사체에 나로 과학 위성을 실어 발사 성공
　㉢ **첨단 항공 우주 수송 수단**: 하늘을 나는 자동차, 우주 엘리베이터, 태양광 무인 비행기, 극초음속 여객기 등

**❸ 첨단 수송 기술의 전망**

　친환경 수송 기술의 발달과 함께 인간의 생활 영역을 해저와 우주로까지 확대

## 5. 첨단 통신 기술

**❶ 정보 통신 기술의 이해**

① **정보 통신 기술**: 각종 자료들을 수집, 가공 및 처리하여 사람과 장치 사이에서 데이터, 음성, 영상 등을 전달하고 처리하는 기술

② **정보 통신 기술의 발달**
　㉠ 컴퓨터의 발명은 정보 통신 기술을 가속화
　㉡ 컴퓨터의 발명과 네트워크 기반의 스마트폰이 등장하면서 정보의 중요성이 강조
　㉢ 스마트폰을 비롯한 다양한 전자 기기의 등장으로 삶의 방식이 크게 변화

**❷ 첨단 정보 통신 기술**　┌ 스마트 홈, 스마트 자동차, 스마트 쇼핑 등이 있다.

① **사물 인터넷**: 사람, 사물, 데이터 등이 네트워크로 연결되어 정보가 생성, 수집, 공유, 활용되는 것

② **클라우드 컴퓨팅**: 사진, 문서, 영상, 소프트웨어 등과 같은 컴퓨팅 자원을 큰 서버에 옮겨두고 사용자가 언제 어디서나 접근해 사용할 수 있는 기술

③ **빅 데이터**: 기존의 데이터보다 그 양이 방대하여 기존의 방법이나 도구로 수집, 저장, 검색, 분석, 시각화 등이 어려운 데이터

**❸ 첨단 정보 통신 기술의 전망**

① **무선 통신 기술의 가속화**: 가시광을 이용하여 데이터를 전송하는 무선 통신 기술

② **인공 지능 기술의 발달**: 인공 지능 기술의 발달은 인간의 노동력을 줄여주고 윤택한 삶을 제공

③ **가상 현실**: 가상으로 만들어진 공간에서 인간의 감각과 상호 작용하여 현실감을 느낄 수 있는 환경

④ **증강 현실**: 실제 환경에 가상 사물을 합성하여 원래의 환경에 존재하는 사물처럼 보이도록 하는 환경

**스스로 활동 1**

교과서 125쪽

### 미래 제조 기술의 전망

다음의 3D 프린팅 기술의 긍정적인 측면과 부정적인 측면의 사례를 보고, 첨단 제조 기술의 발달로 인해 미래 사회가 어떠한 모습으로 변화할지 긍정적인 측면과 부정적인 측면에 대해 토의하고, 발표해 보자.

**예시 답안**

| | |
|---|---|
| 긍정적인 측면 | · 저비용 고효율 생산 가능성<br>· 로봇 및 자동화 기기 발달로 일상생활에서 노동력 감소 및 편리한 생활<br>· 나노 기술을 이용한 신소재 개발로 연관 산업의 다방면 발달 촉구<br>· 3D 프린팅 기술을 이용한 시제품 제작이 용이해짐에 따라 신제품 개발 속도 향상<br>· 타 분야 산업과 융합하여 복합적이고 광범위한 산업 발달 촉진 |
| 부정적인 측면 | · 로봇 및 자동화 기기 등장으로 인한 단순 사무직 일자리 감소<br>· 로봇 및 인공 지능 자동화 기기의 발달로 인한 인간 소외 현상<br>· 기기 설치 및 수리, 운영 비용 증가<br>· 새로운 범죄에 이용 가능성<br>· 나노 입자와 나노 재료가 작업과 관련해 상해와 질병을 야기할 위험성 |

**스스로 활동 2**

교과서 130쪽

### 첨단 건설 기술

현대에는 초고층 빌딩, 초장대 교량 등 대형 구조물의 증가와 구조물의 노후화 등으로 사고 발생 시 대형 사고로 이어지고 있다. 그래서 사고를 미연에 방지하고자 구조물에 대한 안전 진단 및 사후 관리에 대한 관심이 높아지고 있다.

구조물 안전 진단 및 관리와 관련한 다음의 첨단 건설 기술은 어떤 기술인지 찾아 발표해 보자.

① 빌딩 정보 모델링(BIM: Building Information Modeling) 기술
② 첨단 교량 관리 체계(BMS: Bridge Management System) 기술
③ 구조물 안전 진단(SHM: Structure Health Monitoring) 기술

**예시 답안**

① 빌딩 정보 모델링 기술: 건설 비용·자재·성능·법규 등 빌딩 건설 관련 모든 정보를 설계 단계에서 3차원 시뮬레이션으로 구현하고, 이를 활용해서 건축물 설계와 시공, 유지 관리 등 전 과정을 통합 관리하는 기술이다.
② 첨단 교량 관리 체계 기술: 교량에 대한 기술적인 평가 및 유지 관리 등 교량의 모든 정보를 통합적으로 관리하고 분석해 미리 낡은 교량에 대한 조치 계획을 세움으로써 예산도 절감하고 사고도 막을 수 있도록 지원하는 정보화 시스템이다.
③ 구조물 안전 진단 기술: 건물에서 계측된 데이터를 분석하여 시공 초기 구조물의 상태와 현재 상태를 비교함으로써 구조적인 이상 유무를 평가하는 시스템이다. 건물의 구조 안전성을 평가할 수 있는 인공 지능을 적용함으로써 실제 건물에서 계측된 데이터를 통해 구조 안전성을 정량적으로 평가하고 이를 근거로 합리적인 건물의 보수·보강을 수행함으로써 건물의 생애 주기 비용을 최소화할 수 있는 기술이다.

**스스로 활동 3**

교과서 143쪽

### '드론'의 활용 가능성과 문제점 해결 방안

'드론'의 활용 가능성과 위험성이나 문제점에 대해 생각해 보고, 해결 방안에 대하여 발표해 보자.

**예시 답안**

① 활용 가능성
   군사, 배달(수송), 농업, 구호, 촬영, 공기질 측정, 교통 상황 관측 등
② 위험성이나 문제점
   개인 정보 유출, 사생활 침해, 안전사고(추락, 위험 물질 배달, 해킹) 등
③ 해결 방안
   법적 규제, 책임 소재 법적 마련, 안전장치(낙하산 등)

**스스로 활동 4**

교과서 146쪽

### 정보 통신 기술의 발달과 변화

다음은 정보 통신 기술의 발달과 변화된 모습을 나타낸 것이다. 미래에 등장할 정보 통신 기술에는 어떤 것들이 있는지 예측하고, 발표해 보자.

**예시 답안**

인공 지능 기술이 일상생활에 깊숙이 자리 잡게 되면서 기존의 사람이 하던 일들을 대체할 것이다. 기존의 일자리는 줄어들겠지만 새로운 분야의 일자리를 창출할 것이고 위험한 일들을 대신함으로써 삶의 질은 향상할 것이다.

## 함께하는 활동

교과서 136~137쪽

### 화성에 식물 공장 세우기

자료를 참고하여 화성에 가상의 식물 공장을 세워 보자.

#### 예시 답안

**1. 문제 확인 및 모둠 정하기**

4~5명 정도로 모둠을 정한다.

· 모둠명: '화성에서 살아남조'
· 모둠원: 김기술, 이가정, 최화성, 박지구, 정식물

**2. 정보 수집하기**

① 주어진 자료를 바탕으로 화성에 식물 공장이 갖추어야 할 조건 및 환경은 무엇인지 토론하여 적어 보자.

· 소변이나 땀, 사용했던 물을 '물 재활용 시스템'으로 재활용하여 이용한다. 화성에 있는 소금물을 해수 역삼투성 여과시켜 물을 얻거나, 얼음을 증류시켜 물을 얻는다.
· 빛은 태양 전지를 이용하여 생산한 전기로 LED로 빛을 발생시킨다.
· 양분은 인간의 배설물을 발효시켜 사용한다.
· 온도는 태양 전지를 이용하여 만든 전기로 난방하고, 비닐온실을 만들어 추운 환경으로부터 보호한다.

② 식물 공장을 가동하기 위해서 필요한 재료에는 어떤 것들이 있는지 서로 논의해 보자.

필요한 재료는 물, 태양 전지, LED, 양분, 식물 종자 등

**3. 아이디어 창출 및 선정하기**

화성에서 구한 얼음물을 증류시켜 물을 얻고, 태양 전지로 만든 전기로 LED를 작동하여 빛을 얻는다.

**4. 식물 공장 디자인 스케치하기**

**5. 평가하기**

학교나 모둠의 상황에 맞게 변형하여 평가하거나, 실제로 식물 공장을 제작해 보는 실습까지 확장하여 적용할 수도 있다.

## 함께하는 활동

교과서 148~149쪽

### 빅 데이터 간접 체험

다음은 직업 선호도의 변화를 빅 데이터 기술로 분석하기 위해 신문 기사의 내용을 재구성한 글이다. 이 글을 읽고, 모둠별로 주제를 선정하여 빅 데이터를 분석 및 평가하는 활동으로 빅 데이터를 간접 체험해 보자.

#### 예시 답안

**1. 모둠 구성 및 주제 선정하기**

· 모둠명: 기술
· 모둠원: 윤상, 은미, 윤정, 근태, 현주
· 주제: 선호하는 과목

**2. 선정된 주제를 연상하여 연관된 단어 5개씩 적는다.**

① 윤상: 기술, 수학, 영어, 체육, 윤리
② 은미: 기술, 수학, 과학, 체육, 음악
③ 윤정: 기술, 과학, 미술, 음악, 체육
④ 근태: 국어, 과학, 영어, 체육, 미술
⑤ 현주: 기술, 수학, 영어, 국어, 체육

**3. 단어 순위 정리하기**

① 체육(5회)　　　　② 기술(4회)
③ 영어, 수학, 과학(3회)　　④ 미술, 음악, 국어(2회)
⑤ 윤리(1회)

**4. 순위 분석하기**

입시 위주의 고등학교 교육에서 학생들에게 국어, 영어, 수학 등의 교과가 중요시되고 있음에도 학생들의 교과 선호도는 체육이 1순위로 나왔다. 이것은 남녀 학생 모두 체육 교과를 가장 선호한다는 것을 나타낸다. 주목할 만한 점은 기술 교과가 2순위로 나왔다는 점이다. 입시 교과는 아니지만 실습 위주의 교과 내용이 학생들이 선호하는 교과라고 생각할 수 있고 입시에서 중요시되는 교과와 학생의 선호도는 크게 상관이 없는 것으로 분석된다.

**5. 평가하기**

| 평가 항목 | 잘함 | 보통 | 미흡 |
|---|---|---|---|
| ① 선정된 주제가 모둠원들이 모두 공감할 만한 것이었는가? | | | |
| ② 모둠원들이 의견을 적극 제시하였는가? | | | |
| ③ 모둠원들이 역할을 분배하여 활동하였는가? | | | |
| ④ 순위의 결과를 다른 모둠원들도 공감하였는가? | | | |
| ⑤ 간접 체험으로 빅 데이터를 이해하였는가? | | | |

**1** 18세기 후반부터 약 100년 동안 유럽에서 일어난 생산 기술과 사회의 큰 변화를 무엇이라고 하는지 쓰시오.

**2** 나노 크기의 구조체로 신속 정확한 진단 및 인체에 적합한 조직을 만드는 기술은?

① 나노 센서
② 나노 전기
③ 나노 신소재
④ 나노 바이오
⑤ 나노 에너지

**3** 3D 프린팅은 시제품의 제작 비용 및 시간 절감, 다품종 소량 생산과 맞춤형 제품 제작 등에 효율적이다.

( O , X )

**4** 건설 기술 중 인간이 쾌적하고 안전하며 능률적인 생활에 필요한 공간(주택, 학교, 상가, 빌딩 등)을 만드는 기술을 무엇이라 하는지 쓰시오.

**5** 초장대 교량의 교각과 교각 사이 거리는?

① 사장교 500m, 현수교 1,000m
② 사장교 500m, 현수교 2,000m
③ 사장교 1,000m, 현수교 1,000m
④ 사장교 1,000m, 현수교 2,000m
⑤ 사장교 2,000m, 현수교 2,000m

**6** 미래의 첨단 건설 기술은 부족한 주거 공간을 해결하고, 효율적인 공간 사용을 위해 초고층 빌딩의 건설이 증가할 것이며, 지하 및 해저 도시의 건설 기술이 확대될 것이다.

( O , X )

**7** 생물체의 세포 조직 일부를 분리하여 영양 배지에서 키우는 기술은?

① 핵 이식
② 조직 배양
③ 세포 융합
④ 나노 바이오
⑤ 유전자 재조합

**8** 유전자 가위 기술은 빛을 이용해 신경 세포의 활동을 조절하는 기술로 빛과 유전학을 접목한 첨단 생명 기술이다.

( O , X )

**9** 청정에너지를 사용해서 기존 내연 기관 자동차에 비해 오염 물질을 적게 배출하는 자동차를 무엇이라고 하는지 쓰시오.

**10** 항공 수송 기술과 해상 수송 기술을 융합한 선박은?

① 뗏목
② 증기선
③ 위그선
④ 원자력선
⑤ 초전도선

**11** 기존의 데이터보다 그 양이 방대하여 기존의 방법이나 도구로 수집, 저장, 검색, 분석, 시각화 등이 어려운 데이터를 무엇이라고 하는지 쓰시오.

**01** 제조 기술의 발달에 따른 설명으로 바르지 <u>않은</u> 것은?

① 편리한 가정생활에 기여하였다.
② 사무 자동화로 업무의 효율성을 높여 주고 있다.
③ 산업용 로봇과 공장의 자동화로 생산성을 향상시키고 있다.
④ 산업 혁명 이후 공장은 무인 자동화 공장으로 발전하고 있다.
⑤ 대량 생산 및 표준화, 품질 향상, 인건비 및 원가 절감 등을 이루었다.

**02** 3D 프린팅 기술에 대한 설명으로 바르지 <u>않은</u> 것은?

① 대부분의 3D 프린팅은 절삭형의 원리를 이용한다.
② 큰 덩어리를 조각하듯 깎아 내는 것을 절삭형이라 한다.
③ 절삭형은 여분을 깎아 내기 때문에 재료의 손실이 있다.
④ 층층이 쌓아 올려 형상을 만들어 내는 것을 적층형이라 한다.
⑤ 적층형은 쌓아 올리는 방식이므로 재료의 손실이 생기지 않는다.

**03** <보기>는 첨단 제조 기술에 대한 설명이다. (가), (나)에서 설명하는 기술이 바르게 연결된 것은?

┤ 보기 ├
(가): 산업용 기계에 다양한 형태의 지능적인 로봇 기능을 결합하는 등 기계와 전자 기술을 복합적으로 적용한 기술이다.
(나): 물체를 원자나 분자 수준에서 분석 · 조작 · 제어하여 새로운 물질을 만드는 기술이다.

|   | (가) | (나) |
|---|------|------|
| ① | 나노 기술 | 3D 프린팅 기술 |
| ② | 나노 기술 | 메카트로닉스 |
| ③ | 메카트로닉스 | 3D 프린팅 기술 |
| ④ | 메카트로닉스 | 나노 기술 |
| ⑤ | 머신 딥 러닝 | 클라우드 컴퓨팅 |

**04** 초고층 빌딩 건설에 대한 설명으로 옳지 <u>않은</u> 것은?

① 도시의 토지 이용률을 높인다.
② 도심의 공동화 현상이 발생한다.
③ 도심의 랜드 마크로서 도시 경쟁력을 높인다.
④ 건물 내에서 모든 생활의 서비스를 제공한다.
⑤ 바람과 지진의 영향을 최소화하는 건설 기술이 필요하다.

**05** 그림처럼 3대 이상의 인공위성을 이용하여 수직으로 시공하는 초고층 빌딩 건설 기술의 하나는?

① 화재 대비 시공
② 내풍·내진 설계
③ 위성 측량 시스템
④ 거푸집 자동 상승 시스템
⑤ 고층 건물 시공 자동화 시스템

**06** 교량에 설치된 센서로 데이터를 수집하여 교량의 안전성, 내구성을 진단할 수 있도록 한 교량은?

① 케이블 교량
② 스마트 교량
③ 바이오 교량
④ 내진 설계 교량
⑤ 신재생 에너지 교량

**07** 내진 설계에 대한 설명으로 적절하지 <u>않은</u> 것은?

① 내진 설계란 지진을 견디어 낼 수 있도록 설계하는 것이다.
② 중요한 구조물이나 대형 구조물의 지진 피해를 줄일 수 있다.
③ 타이베이 101 타워에 설치된 대형 추는 지진의 진동 에너지를 분산시킨다.
④ 면진 설계는 건축물과 땅을 분리하여 지진의 진동이 건물로 전달되는 것을 최소화하는 설계이다.
⑤ 건물 중간에 지진 에너지를 흡수할 수 있는 장치를 설치하여 피해를 최소화할 수 있도록 설계한 구조를 내진 구조라 한다.

**08** <보기>와 같은 특징을 가진 친환경 건축물은?

| 보기 |

- 기본 골조와 벽체, 전기 배선, 문틀 등 주택 건설의 전체 공정 중 80~90% 가량을 제작한 뒤 현장에서 조립과 일부 마감 공사로 완성하는 주택이다.
- 공사 기간의 단축 및 대량 공급이 가능해서 비용이 적게 들고 건물 해체 후에도 재사용이 가능해 건설 폐기물이 적게 발생하는 친환경 건축 기술이다.

① 스틸 하우스
② 모듈러 하우스
③ 액티브 하우스
④ 패시브 하우스
⑤ 에너지 제로 하우스

**09** 유전자 재조합 기술에 대한 설명으로 옳은 것은?

① 유전체에서 원하는 부위의 DNA를 정교하게 잘라내는 기술이다.
② 서로 다른 두 종류의 세포를 융합하여 잡종 세포를 만드는 기술이다.
③ 생물체의 세포 조직 일부를 분리하여 영양 배지에서 키우는 기술이다.
④ 생물체의 체세포에서 핵을 추출하여 핵이 제거된 다른 세포에 이식하는 기술이다.
⑤ 생물체의 유전자 일부를 잘라내고 그 자리에 다른 생물체의 유전자를 결합하는 기술이다.

**10** 유전자 변형 생명체(GMO)에 이용되는 생명 기술의 원리는?

① 핵 이식 기술
② 광유전학 기술
③ 세포 융합 기술
④ 조직 배양 기술
⑤ 유전자 재조합 기술

**11** <보기>에서 설명하는 원리로 활용되는 생명 기술과 거리가 <u>먼</u> 것은?

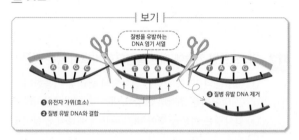

① 유전병의 원인이 되는 돌연변이, 혈우병 등을 치료한다.
② 맞춤형 아기 탄생과 같은 윤리적 문제도 잠재되어 있다.
③ 유전체에서 원하는 부위의 DNA를 정교하게 잘라내는 기술이다.
④ 유전자 변형 생명체를 만드는 기술을 대체할 수 있을 것으로 기대된다.
⑤ 파킨슨병, 우울증, 정서 불안 장애 등을 치료 연구하는 데 활용하고 있다.

**12** 딥 헬스에 대한 설명으로 옳은 것은?

① 혈관 속을 이동하면서 노폐물을 제거하거나, 질병 부위를 찾아내 치료한다.
② 질병의 진단 및 수술 과정을 지원하거나 재활 훈련 등을 도와주는 로봇이다.
③ 생물학의 원리를 적용하여 신체의 기능을 확장시키는 장치를 만드는 기술이다.
④ 의료 영상, 유전자 정보 등을 기반으로 정밀 의학을 실현하는 인공 지능 시스템이다.
⑤ 전기 신호를 발생시키는 전자 기기를 인체에 이식해 질병을 치료하는 전자 장치이다.

**13** 개인용 무인 고속 차량과 함께 개발 중인 기차로 속도가 빠르고, 태양광 에너지를 이용하는 친환경 육상 수송 수단은?

① 하이퍼루프
② 무인 자동차
③ 무인 고속 차량
④ 자기 부상 열차
⑤ 플러그인 하이브리드

**14** 항공 우주 수송 기술에 대한 설명으로 옳은 것은?

① 마하 5 이상의 속도를 내는 여객기를 초음속 여객기라고 한다.
② 극초음속 항공기는 무선 전파의 유도에 의해서 비행하는 무인 항공기이다.
③ 지구상 한 지점에서 약 36,000km 고도의 정지 궤도까지 구조물을 건설하여 사람이나 물자를 나르는 수단을 발사체라고 한다.
④ 우리나라는 2013년 나로 우주 센터에서 나로호 발사체에 나로 과학 위성을 실어 발사하는 데 성공하였다.
⑤ 우주 엘리베이터는 태양광 에너지를 이용해 계속 하늘에 떠 있을 수 있는 비행기로 군사, 기상 및 교통 정보 등에 활용된다.

**15** <보기>가 설명하는 정보 통신 기기로 적절한 것은?

┤ 보기 ├

• 착용하는 컴퓨터 혹은 기기로 안경, 시계, 의복 등과 같이 간편하게 몸에 착용하여 소통할 수 있는 전자 기기이다.
• 이를 중심으로 가정, 사회, 학교 및 이동 수단 등 모든 분야에서 정보를 주고받게 되었다.

① 스마트폰
② 빅 데이터
③ 사물 인터넷
④ 웨어러블 컴퓨터
⑤ 클라우드 컴퓨팅

**16** 사람, 사물, 데이터 등이 네트워크로 연결되어 정보가 생성, 수집, 공유, 활용되는 것은?

① 빅 데이터
② 유비쿼터스
③ 사물 인터넷
④ 웨어러블 컴퓨터
⑤ 클라우드 컴퓨팅

**17** <보기>의 그림이 설명하는 첨단 정보 통신 기술은?

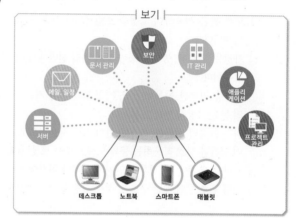

① 증강 현실
② 유비쿼터스
③ 사물 인터넷
④ 클라우드 컴퓨팅
⑤ 웨어러블 컴퓨터

**18** 빅 데이터의 특징으로 알맞지 **않은** 것은?

① 규모: 데이터의 양
② 가치: 데이터의 유용성
③ 속도: 데이터의 빠른 이동
④ 다양성: 데이터의 다양한 형태
⑤ 단순성: 데이터 관리 및 처리의 단순성

**01** 최근 발달하고 있는 제조 기술의 형태는?

① 가내 수공업
② 공장제 수공업
③ 공장제 기계 공업
④ 공장의 자동화
⑤ 무인 자동화 공장

**02** 최근 발달하고 있는 생체 모방 로봇에 대한 설명으로 옳은 것은?

① 로봇 팔을 이용하여 제품을 조립하거나 부품을 생산하는 기계이다.
② 가정용, 의료용, 농업용 등과 같이 산업 전반에서 이용하는 로봇이다.
③ 인간을 비롯한 동물이나 곤충, 물고기 등의 기본 구조, 원리 등을 모방해 만든 로봇이다.
④ 외부 환경의 변화를 스스로 인식하고, 자율적으로 동작하여 인간과 상호 작용하는 등의 도움을 주는 로봇이다.
⑤ 재난 발생 등 이상 상황을 인지하고 재난 현장에 투입되어 인명 구조 등의 재난 구호 및 복구 활동을 하는 로봇이다.

**03** 나노 에너지에 대한 설명으로 옳은 것은?

① 나노 입자 적용으로 저장량 및 효율을 증대하는 기술이다.
② 다이아몬드만큼 강하면서도 작은 신재료로, 신섬유나 촉매, 센서에 활용된다.
③ 나노 크기의 구조로로 신속 정확한 진단 및 인체에 적합한 조직을 만드는 기술이다.
④ 센서의 민감도 및 측정 속도를 개선한 것으로, 제품의 신뢰성 향상, 가격 경쟁력을 높인 제품이다.
⑤ 소재를 나노 크기로 줄여 고집적도와 낮은 소비 전력을 실현한 재료로 신개념 반도체, 디스플레이 등에 쓰인다.

**04** 적층형 3D 프린팅 기술 원리에 대한 설명이 옳은 것은?

① G 코드 변환 → 3D 모델링 → 인쇄 → 후가공
② G 코드 변환 → 인쇄 → 3D 모델링 → 후가공
③ 3D 모델링 → G 코드 변환 → 인쇄 → 후가공
④ 3D 모델링 → 인쇄 → G 코드 변환 → 후가공
⑤ 인쇄 → G 코드 변환 → 3D 모델링 → 후가공

**05** (중요) 제조 기술의 발전 방향에 대한 설명으로 옳지 <u>않은</u> 것은?

① 최근의 공장 자동화는 점차 무인 공장으로 발전하고 있다.
② 산업 분야에서는 생산성 향상, 품질 향상 등의 효과가 있다.
③ 제조 기술은 산업 혁명을 거치면서 급속도로 발전하게 되었다.
④ 로봇, 컴퓨터, 스마트 기기 등이 독립된 분야로 분화되어 각각 발달하고 있는 추세이다.
⑤ 제조 기술의 발달은 사무 자동화 및 자동화 시스템을 이루었으며, 이는 업무의 효율성을 높여 주고 있다.

**06** 초고층 빌딩 건설에 사용되는 지능형 타워 크레인에 대한 설명으로 옳은 것은?

① 3대 이상의 인공위성을 이용하여 수직으로 시공한다.
② 위성 항법 장치(GPS)와 결합하여 건설 자재를 정확한 위치로 운반하여 공사 진행이 수월해졌다.
③ 고내화, 고강도 콘크리트를 사용하여 화재 등 고온에 노출 시 콘크리트가 파열(폭열)되는 현상을 방지할 수 있다.
④ 건물 상층부의 단면적을 줄여 바람과 부딪히는 면적을 줄이고, 건물의 모서리를 둥글게 만들어 바람의 진동을 줄인다.
⑤ 거푸집을 교체하지 않고 유압 장치에 의해 거푸집과 발판이 자동으로 상승하여 건설 기간을 단축할 수 있는 기술이다.

**07** 초장대 교량에 대한 설명으로 옳지 <u>않은</u> 것은?

① 바다 위에 긴 상판을 강철 케이블로 연결한다.
② 정보 통신 기술과 융합한 스마트 교량이 있다.
③ 강풍 및 예측 불가능한 돌풍 등을 견뎌내야 한다.
④ 환경을 고려한 신재생 에너지 교량으로 발전하고 있다.
⑤ 교각과 교각 사이의 거리가 사장교는 2,000m 이상이다.

**08** 토목 기술의 이용에 속하는 것으로만 짝지어진 것은?

① 댐, 주택, 학교 　　　② 공항, 도로, 상가
③ 교량, 철도, 도로 　　 ④ 학교, 주택, 상가
⑤ 학교, 상가, 공항

**09** <보기>의 내진 설계 건설 기술과 그림을 바르게 연결한 것은?

> ┤ 보기 ├
>
> 건축물 내부에 고강도 철근 콘크리트 같은 지진에 강한 재료를 이용하여 건물 자체의 힘만으로도 강한 흔들림에 무너지지 않도록 한 구조이다.

① 제진 구조 - ㄱ 　　② 내진 구조 - ㄴ
③ 제진 구조 - ㄷ 　　④ 면진 구조 - ㄴ
⑤ 면진 구조 - ㄷ

**10** 초고층 빌딩의 화재 안전 건설 기술 중 지능형 스프링클러에 대한 설명으로 옳은 것은?

① 한쪽 건물 화재 시 다른 건물로 대피하는 경로가 된다.
② 영상으로 화재 지점을 자동 추적해 그곳에만 물을 뿌린다.
③ 화장실 내부로 공기를 공급하고 출입문에서는 수막을 형성한다.
④ 빌딩 곳곳에서 풍향, 풍속, 지반 변동, 온도 변화, 구조 변이 등을 감시한다.
⑤ 화재가 난 층에서만 계단으로 통하는 부속실에 바람 공급을 늘려 연기 진입을 막는다.

**11** <보기>는 에너지 제로 하우스에 대한 설명이다. (가), (나)에 들어갈 말을 바르게 연결한 것은?

> ┤ 보기 ├
>
> 에너지 제로 하우스는 단열 기능이 뛰어난 재료를 사용하여 집 밖으로 나가는 열을 차단하는 ( 가 ) 하우스, 태양열과 풍력 등의 신재생 에너지를 이용하여 에너지를 자체 생산하는 ( 나 ) 하우스 등이 있다.

|    | (가) | (나) |    | (가) | (나) |
|----|------|------|----|------|------|
| ① | 스틸 | 패시브 | ② | 제로 | 액티브 |
| ③ | 모듈러 | 액티브 | ④ | 모듈러 | 패시브 |
| ⑤ | 패시브 | 액티브 |    |      |      |

**12** 식물 공장이 필요한 이유로 보기 <u>어려운</u> 것은?

① 재배 농지의 감소
② 농업 생산량 증가
③ 안전 식품에 대한 요구 증가
④ 지구 온난화로 인한 자연 재해
⑤ 농촌 경작 인구 감소 및 고령화

**13** <보기>와 같은 원리로 활용되는 생명 기술은?

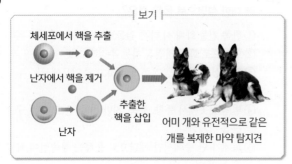

보기

체세포에서 핵을 추출

난자에서 핵을 제거

추출한 핵을 삽입

난자

어미 개와 유전적으로 같은 개를 복제한 마약 탐지견

① 핵 이식 기술　　　② 광유전학 기술
③ 조직 배양 기술　　　④ 유전자 가위 기술
⑤ 유전자 재조합 기술

 중요

**14** 광유전학 기술에 대한 설명으로 옳은 것은?

① 유전체에서 원하는 부위의 DNA를 정교하게 잘라내는 기술이다.
② 서로 다른 두 종류의 세포를 융합하여 잡종 세포를 만드는 기술이다.
③ 생물체의 세포 조직 일부를 분리하여 영양 배지에서 키우는 기술이다.
④ 생물체의 체세포에서 핵을 추출하여 핵이 제거된 다른 세포에 이식하는 기술이다.
⑤ 빛을 이용해 신경 세포의 활동을 조절하는 기술로 빛과 유전학을 접목한 첨단 생명 기술이다.

**15** <보기>와 같은 원리로 로봇과 정보 통신 기술을 활용한 의료 기술은?

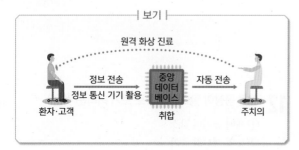

보기

원격 화상 진료

정보 전송
정보 통신 기기 활용

중앙 데이터 베이스

자동 전송

환자·고객

취합

주치의

① 딥 헬스　　　② 나노 로봇
③ 바이오센서　　　④ 바이오닉스
⑤ U-헬스 케어

**16** <보기>의 구조와 특징을 가진 친환경 자동차는?

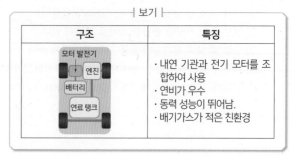

보기

| 구조 | 특징 |
|---|---|
| 모터 발전기<br>엔진<br>배터리<br>연료 탱크 | ·내연 기관과 전기 모터를 조합하여 사용<br>·연비가 우수<br>·동력 성능이 뛰어남.<br>·배기가스가 적은 친환경 |

① 전기 자동차
② 가솔린 자동차
③ 하이브리드 자동차
④ 수소 연료 전지 자동차
⑤ 플러그인 하이브리드 자동차

**17** 무인 자동차의 핵심 기술로 보기 어려운 것은?

① 위치 파악기
② 주변 환경 인식
③ 차량 제어 기술
④ 자기 위치 추적
⑤ 캡슐 안전장치

**18** 최근 개발되고 있는 첨단 해상 수송 수단으로 보기 어려운 것은?

① 위그선　　　② 디젤선
③ 원자력선　　　④ 자가용 잠수정
⑤ 초전도 전기 추진 선박

**19** 드론에 대한 설명으로 알맞지 <u>않은</u> 것은?

① 처음에는 군사용 무인 항공기로 개발되었다.
② 무선 전파의 유도에 의해 비행하는 무인 항공기이다.
③ 안전과 개인 정보 침해에 대한 문제가 발생하고 있다.
④ 우리나라에서는 어느 곳에서든 자유롭게 드론을 날릴 수 있다.
⑤ 교통 상황 관측, 영화 및 방송 프로그램 촬영 등 다방면에 활용되고 있다.

**20** 사물 인터넷의 활용 중 미아 방지용 팔찌에 대한 설명으로 옳은 것은?

① 스마트폰으로 금융 거래를 가능하게 한다.
② 스마트폰과 연동하여 자동차의 상태 및 점검 내용을 알 수 있다.
③ 날씨, 사용자의 기분과 패턴 등을 분석하여 조명 장치를 조절한다.
④ 스마트폰을 블루투스로 연결하여 특정 범위를 벗어나면 알림이 울린다.
⑤ 유통 기한이 임박한 재료를 알려주고 그 재료와 관련된 요리법을 소개한다.

 **21** 다음 중 가장 최근의 정보 통신 기술을 설명한 것은?

① 개인용 컴퓨터의 등장으로 정보 통신 기술이 급속도로 발달하기 시작했다.
② 최초의 상용화된 휴대 전화가 개발되면서 이동 통신이 가능하게 되었다.
③ 스마트폰과 비슷한 기능을 갖춘 휴대 전화가 등장하였다.
④ 다양한 애플리케이션을 활용할 수 있는 스마트폰이 개발되었다.
⑤ 가상의 현실을 통해 실제 상황과 유사한 환경을 경험하게 되었다.

**22** 다음의 설명에 가장 적절한 첨단 항공 우주 수송 수단은?

> 태양광을 에너지원으로 쓰기 때문에 지상에 착륙할 필요 없이 하늘에 떠 있을 수 있는 비행기로 군사, 기상 및 교통 정보 등에 활용된다.

① 나로호　　　　　　　② 극초음속 여객기
③ 우주 엘리베이터　　　④ 하늘을 나는 자동차
⑤ 태양광 무인 비행기

**23** <보기>의 (가), (나)에 들어갈 단어가 바르게 나열된 것은?

> ┤ 보기 ├
> (가): 사진, 문서, 영상, 소프트웨어 등과 같은 컴퓨팅 자원을 큰 서버에 옮겨두고 사용자가 언제 어디서나 접근해 사용할 수 있다.
> (나): 기존의 데이터보다 그 양이 방대하여 기존의 방법이나 도구로 수집, 저장, 검색, 분석, 시각화 등이 어려운 데이터들을 의미한다.

|   | (가) | (나) |
|---|------|------|
| ① | 증강 현실 | 웨어러블 컴퓨터 |
| ② | 유비쿼터스 | 클라우드 컴퓨팅 |
| ③ | 사물 인터넷 | 유비쿼터스 |
| ④ | 클라우드 컴퓨팅 | 빅 데이터 |
| ⑤ | 웨어러블 컴퓨터 | 가상 현실 |

**24** <보기>는 첨단 기술 발달의 특징을 나타낸 것이다. 옳은 것을 <u>모두</u> 고른 것은?

> ┤ 보기 ├
> ㄱ. 발달 속도가 점점 느려지고 있다.
> ㄴ. 서로 융합된 형태로 등장하게 된다.
> ㄷ. 문제를 해결하고 많은 혜택을 제공하지만 새로운 문제점을 야기하기도 한다.

① ㄱ　　　　　② ㄴ　　　　　③ ㄷ
④ ㄱ, ㄴ　　　⑤ ㄴ, ㄷ

**핵심 정리**

## 1. 첨단 기술의 영향

### 1 첨단 기술이 미치는 영향

① **기술의 발달**: 기술의 발달은 사회의 형성에 기여하고 생산성 증대와 작업의 효율성을 높이고, 기술의 발전 속도는 점점 빨라짐.

② **첨단 기술이 미치는 영향**

　㉠ **생명 기술, 의료 기술**: 건강한 삶과 수명의 연장, 초고령 사회로의 진입 ── 전체 인구 중 65세 이상의 노령 인구 비율이 20% 이상인 사회

　㉡ **정보 통신 기술**: 정보 사회를 가속화하여 정보의 가치가 중요한 사회, 개인의 사생활 침해와 정보의 유출 문제

　㉢ **첨단 기술의 긍정적인 영향**
　　• 제조 기술의 발달로 제품을 신속하고 정확하게 생산할 수 있으며, 위험한 일은 기계나 로봇이 대신함.
　　• 건설 기술의 발달로 다양한 형태의 구조물이 등장하여 자연 재해를 예방하고 대처하여 인명 피해를 막음.
　　• 생명 기술의 발달로 인간은 질병으로부터 해방되고 수명이 연장
　　• 수송 기술의 발달로 인간은 쾌적하고 신속하게 목적지까지 도달
　　• 정보 통신 기술의 발달로 재택 수업 및 원격 강의, 재택 근무가 활발

　㉣ **첨단 기술의 부정적인 영향**
　　• 제조 기술의 발달로 기계에 의존하면서 인간의 기계화와 비인간화 현상을 촉진시킬 수 있으며, 많은 일자리가 사라질 수도 있음.
　　• 건설 기술의 발달로 도시의 고층화가 가속화되고 인구 밀도가 늘어나 지역 간의 불균형을 초래할 수 있음.
　　• 생명 기술의 남용으로 인간의 존엄성과 생명 윤리에 대한 문제를 발생시킬 수 있으며, 생태계를 교란하는 결과를 초래
　　• 수송 기술의 발달로 수송 수단이 대량으로 공급되면서 환경 오염 문제 발생
　　• 정보 통신 기술의 발달로 개인 정보 및 사생활의 침해가 심화될 수 있고, 정보 통신 기기 사용의 중독에 이를 수 있음.

### 2 기술 영향 평가

① **지속 가능한 발전**: 첨단 기술이 지속 가능한 발전을 하기 위해서는 기술에 대한 올바른 인식과 의식이 필요

② **기술 영향 평가**: 첨단 기술이 경제, 사회, 문화, 윤리, 환경 등에 미치는 영향을 긍정적인 측면과 부정적인 측면으로 나누어 평가

## 2. 첨단 기술과 관련된 문제 해결

### 1 첨단 기술 관련 문제

① **발달 속도와 문제점**: 첨단 기술의 발달 속도는 점점 빨라지고 있고 첨단 기술은 기존의 문제를 해결하지만 새로운 문제점도 발생

② **첨단 기술 관련 문제**

　㉠ **새로운 정보 통신**: 개인 정보 유출 가능성
　㉡ **생명 기술의 발달**: 인간의 존엄성과 생명 윤리에 관한 문제 발생
　㉢ **드론의 등장**: 사생활 침해와 범죄에 악용 가능성

### 2 첨단 기술 관련 문제의 해결 방안

① 첨단 기술이 등장하면서 개인, 사회 공동체에 다양한 형태로 문제점이 발생

② 발생되는 문제점을 해결하기 위해서는 문제점을 정확하게 판단하고 다양한 해결 방안을 모색

③ 해결 방안을 적용하였을 때 위험 요소를 분석하고 해결 방안을 평가할 수 있는 사고와 능력을 신장

④ **첨단 기술 관련 문제 해결 사례**

　㉠ **보안·안전 관련 문제**: 홍채 인식, 지문 인식, 얼굴 인식, 정맥 인식 등의 기술을 활용하여 보안 및 안전 문제 해결
　㉡ **빌딩의 에너지 낭비 문제**: 에너지 효율을 높인 외부 조명, 태양열 급탕, 태양광 발전, 이중창으로 단열, 자연 채광 지하, 빙축열 냉동기 설치 등으로 빌딩의 에너지 낭비 문제 해결

**스스로 활동 ①**

교과서 155쪽

### 기술 영향 평가

다음의 기사를 읽고 '유전자 가위 기술'을 긍정적 측면과 부정적 측면으로 나누어 기술 영향 평가를 할 때 각각의 빈칸을 채워 보자.

#### 예시 답안

① 개인 영향의 부정적인 측면
· 인간에게 유전자 가위 기술을 남용할 경우 인간의 존엄성에 대한 가치가 떨어질 수 있다.
· 인간에게 유전자 가위 기술을 적용했을 경우 유전적으로 결함을 일으킬 우려가 있다.
· 현재 기술로 부작용이 발생했을 경우 이를 되돌리거나 재교정이 어렵다.
· 배아·생식 세포에 유전자 가위 기술을 적용하여 맞춤형 아기를 만들어 낼 우려가 발생한다.

② 사회 영향의 긍정적 측면
· 유전자 가위 기술을 적용하면 유전자 치료법, 신약 등의 개발로 산업적, 경제적 가치가 높아질 것이다.
· 희귀·난치성 질환에 대한 근본적 치료는 환자 및 가족에게 희망을 주는 기술 혁신의 의미와 질병의 치료 및 관리 비용의 절감이라는 사회·경제적 효과를 준다.

③ 환경 영향의 부정적 측면
· 유전자 가위 기술이 적용된 생물체를 자연환경에 방출할 경우 생태계를 교란할 우려가 있다.
· 유전자 가위 기술의 적용은 개별 행위뿐만 아니라 DNA 복제를 통해 확산되므로 지속적으로 생태계에 영향을 미칠 수 있다.

**스스로 활동 ②**

교과서 157쪽

### 무인 자동차의 문제점과 해결 방안

다음은 수송 기술의 발달로 미래에 펼쳐질 모습을 만화로 그린 것이다. 무인 자동차는 안전한 운행을 바탕으로 교통사고를 예방할 수 있고 시간의 효율성을 높이며, 탄소 배출을 줄여 환경에도 도움을 줄 수 있을 것이다. 그러나 해결해야 할 많은 문제들이 발생할 수도 있다.
· 무인 자동차의 등장으로 여러 분야에서 발생할 수 있는 문제점과 해결 방안을 생각하여 적어 보자.

#### 예시 답안

· 법규

| 문제점 | 해결 방안 |
| --- | --- |
| 법규를 어긴 상황에서 누구에게 잘못을 물을 것인가가 문제가 될 수 있다. | 정확한 제도를 정비하고 다양한 상황을 데이터베이스화하여 법규를 어기지 않도록 시스템을 정비한다. |

· 안전

| 문제점 | 해결 방안 |
| --- | --- |
| 기계적 오류로 인해 사고가 발생할 경우 책임 소재가 불분명하다. | 기계적 오류, 사용자 실수 등의 영역을 정확하게 설정하여 책임 소재를 명확하게 한다. |

· 보안

| 문제점 | 해결 방안 |
| --- | --- |
| 범죄의 도구로 사용될 가능성이 있다. | 운행을 멈추는 등의 조치가 필요하다. |

· 산업

| 문제점 | 해결 방안 |
| --- | --- |
| 도서·산간 지역의 서비스는 상대적으로 차별을 받을 수 있다. | 시스템을 정비하여 어디서든 서비스를 받을 수 있게 한다. |

---

🌱 개념 확인 문제

**1** 생명 기술과 의료 기술의 발달은 건강한 삶과 수명의 연장을 가능하게 하였으며, 전체 인구 중 65세 이상의 노령 인구 비율이 20% 이상인 (          ) 사회로의 진입을 눈앞에 두고 있다.

**2** 다양한 형태의 구조물이 등장하여 자연 재해를 예방하고 대처하여 인명 피해를 막을 수 있게 된 기술은?
① 건설 기술　　② 수송 기술　　③ 제조 기술
④ 생명 기술　　⑤ 정보 통신 기술

**3** 첨단 기술이 경제, 사회, 환경 부문의 균형과 조화로운 발전을 추구하는 지속 가능한 발전을 하려면 기술에 대한 올바른 인식과 의식이 필요하다.
( O , X )

**4** 손바닥이나 손목에 위치한 눈에 보이지 않는 혈관을 적외선 조명으로 패턴 정보를 추출해 인식하는 보안 기술은?
① 홍채 인식 기술　　② 얼굴 인식 기술
③ 지문 인식 기술　　④ 정맥 인식 기술
⑤ 안구 인식 기술

정답　1. 초고령 2. ① 3. ○ 4. ④

**01** 첨단 기술이 미치는 영향에 대한 설명으로 바르지 <u>않은</u> 것은?

① 산업에서의 생산성 증대와 작업의 효율성을 높였고, 삶의 질을 향상하여 왔다.
② 건설 기술은 개인의 사생활 침해와 정보의 유출 등의 문제를 일으키기도 한다.
③ 생명 기술과 의료 기술의 발달은 건강한 삶과 수명의 연장을 가능하게 하였다.
④ 정보 통신 기술의 발달은 정보 사회를 가속화하여 정보의 가치가 중요한 사회가 되었다.
⑤ 새로운 기술이 매일 등장하는 첨단 기술의 홍수 속에 있다 해도 과언이 아닐 정도이다.

**02** <보기>는 첨단 기술이 미치는 긍정적인 영향에 대한 설명이다. 올바른 것을 <u>모두</u> 고른 것은?

┤ 보기 ├
ㄱ. 제조 기술의 발달로 제품을 신속하고 정확하게 생산할 수 있다.
ㄴ. 건설 기술의 발달로 다양한 형태의 구조물이 등장하여 자연 재해를 예방한다.
ㄷ. 생명 기술의 발달로 인간은 질병으로부터 해방되고 수명이 연장된다.
ㄹ. 수송 기술의 발달로 인간은 쾌적하고 신속하게 목적지까지 도달할 수 있다.
ㅁ. 정보 통신 기술의 발달로 개인 정보 및 사생활의 침해가 심화될 수 있다.

① ㄱ, ㄴ, ㄷ, ㄹ
② ㄱ, ㄴ, ㄷ, ㅁ
③ ㄱ, ㄷ, ㄹ, ㅁ
④ ㄱ, ㄴ, ㄹ, ㅁ
⑤ ㄴ, ㄷ, ㄹ, ㅁ

**03** 동식물의 유전자를 결합해 특정 DNA 부위를 자르는 데 사용하는 인공 효소로 유전자의 잘못된 부분을 제거해 문제를 해결하는 기술은?

① 광유전학 기술
② 유전자 변형 기술
③ 세포 융합 기술
④ 유전자 재조합 기술
⑤ 유전자 가위 기술

**04** 다음에서 설명하는 보안·안전 관련 문제 해결 사례는?

> 평생 변하지 않는 안구의 홍채 패턴을 이용하여 인식하는 기술로, 높은 정확도를 지니고 있으며 기계와 직접 접촉하지 않아서 편리하고 거부감이 적다.

① 홍채 인식 기술
② 얼굴 인식 기술
③ 지문 인식 기술
④ 정맥 인식 기술
⑤ 지압 인식 기술

**05** 무인 자동차의 장점이라고 볼 수 <u>없는</u> 것은?

① 해킹이나 오류 등으로 주행상의 문제를 일으킬 수 있다.
② 주행 중 운전자는 휴식을 취하거나 시간을 활용할 수 있다.
③ 운전자가 있는 곳으로 오거나 알아서 주차를 해 줄 수 있다.
④ 안전한 운행으로 사람이 유발할 수 있는 사고를 줄여 줄 수 있다.
⑤ 알맞은 운행으로 탄소 배출량을 줄여 환경에 도움을 줄 수 있다.

**중요**

**01** <보기>는 첨단 기술이 미치는 영향에 대한 설명이다. (가), (나)에 들어갈 기술이 바르게 연결된 것은?

─┤ 보기 ├─

　( 가 ) 기술과 의료 기술의 발달은 건강한 삶과 수명의 연장을 가능하게 하였으며, 초고령 사회로의 진입을 눈앞에 두고 있다.

　또한 ( 나 ) 기술의 발달은 정보 사회를 가속화하여 정보의 가치가 중요한 사회가 되었다. 그러나 개인의 사생활 침해와 정보의 유출 등의 문제를 일으키기도 한다.

|  | (가) | (나) |
|---|---|---|
| ① | 제조 | 수송 |
| ② | 제조 | 건설 |
| ③ | 생명 | 건설 |
| ④ | 생명 | 정보 통신 |
| ⑤ | 건설 | 정보 통신 |

**02** 첨단 기술이 미치는 부정적인 영향으로 옳은 것은?

① 제조 기술의 발달로 제품을 신속하고 정확하게 생산할 수 있다.
② 건설 기술의 발달로 자연 재해를 예방하고 대처하여 인명 피해를 막을 수 있다.
③ 생명 기술의 발달로 인간의 존엄성과 생명 윤리에 대한 문제를 발생시킬 수 있다.
④ 수송 기술의 발달로 인간은 쾌적하고 신속하게 목적지까지 도달할 수 있다.
⑤ 정보 통신 기술의 발달로 재택 수업 및 원격 강의, 재택근무가 활발해진다.

**중요**

**03** <보기>에서 유전자 가위 기술의 긍정적인 측면으로 옳은 것을 <u>모두</u> 고른 것은?

─┤ 보기 ├─

ㄱ. 생명 윤리에 대한 중요성이 점점 사라질 수 있다.
ㄴ. 부모의 선택으로 맞춤형 인간을 만들어 낼 수 있다.
ㄷ. 유전적으로 불리한 유전자를 제거함으로써 건강을 유지할 수 있다.
ㄹ. 우수한 형질의 개체를 만들어 환경에 대한 생존력을 강하게 할 수 있다.

① ㄱ, ㄴ　　　　　　② ㄷ, ㄹ
③ ㄱ, ㄹ　　　　　　④ ㄱ, ㄷ, ㄹ
⑤ ㄴ, ㄷ, ㄹ

**04** 얼굴 인식 보완 기술에 대한 설명으로 옳은 것은?

① 개별 손가락이 가진 고유의 지문 특징으로 신원을 확인한다.
② 눈썹 간 거리, 얼굴뼈 돌출 정도 등의 특징으로 신원을 확인한다.
③ 평생 변하지 않는 안구의 홍채 패턴을 이용하여 인식하는 기술이다.
④ 기계 접촉이 간편하고, 지문 패턴이 사람마다 달라 신뢰성과 정확도가 비교적 높다.
⑤ 손바닥에 위치한 눈에 보이지 않는 혈관을 적외선 조명으로 패턴 정보를 추출해 인식하는 기술이다.

**05** 실제 환경에 가상 사물을 합성하여 원래의 환경에 존재하는 사물처럼 보이도록 하는 정보 통신 기술은?

① 가상 현실　　　　　② 증강 현실
③ 양자 컴퓨터　　　　④ 사물 인터넷
⑤ 클라우드 컴퓨팅

**01** 빈칸에 들어갈 말을 바르게 짝지은 것은?

> 과학 이론을 실제로 적용하여 자연의 사물을 인간 생활에 유용하도록 가공하는 수단, 또는 사물을 잘 다룰 수 있는 방법이나 능력을 ( ㄱ )이라고 하고, 주택, 교량, 항만, 댐 등과 같이 사람이 생활하는 데 필요한 구조물을 세우는 수단이나 활동을 ( ㄴ ) 기술이라고 한다.

    (ㄱ)     (ㄴ)
① 생산     기술
② 생산     기술
③ 기술     생명
④ 기술     건설
⑤ 기술     수송

자주 출제되는 문제

**02** <보기>에서 설명하는 기술은?

> ┤ 보기 ├
> • 인공 지능 개발을 위해 사람의 사고방식을 컴퓨터에게 가르치는 기계 학습의 한 분야이다.
> • 더 나아가 기계가 스스로 학습하여 인공 지능의 시대를 촉진하고 있다.

① 스마트폰      ② 사물 인터넷
③ 머신 딥 러닝      ④ 웨어러블 컴퓨터
⑤ 클라우드 컴퓨팅

**03** 기술의 발달에서 동력을 이용한 최초의 육상 수송 수단은?

① 포드의 자동차
② 디젤 기관 자동차
③ 하이브리드 자동차
④ 퀴뇨의 증기 자동차
⑤ 벤츠의 가솔린 자동차

**04** 다음에서 설명하고 있는 융합 기술은?

> 생물체가 가지는 유전·번식·성장·자기 제어 및 물질 대사 등의 기능과 정보를 이용하여 인류에게 필요한 물질과 서비스를 가공·생산하는 기술이다.

① 나노 기술      ② 바이오 기술
③ 정보 통신 기술      ④ 양자 컴퓨터 기술
⑤ 비휘발성 메모리 기술

틀리기 쉬운 문제

**05** 산업 구조의 변화와 특징이 바르게 연결된 것은?

① 1차 산업 혁명 ─ 생산 기계화, 수증기의 동력화
② 2차 산업 혁명 ─ 수증기의 동력화, 노동 분업
③ 3차 산업 혁명 ─ 대량 생산, 생산 자동화
④ 4차 산업 혁명 ─ IT 발전, 지능형 최적 생산
⑤ 5차 산업 혁명 ─ 전자 기기, 생산 자동화

**06** 다음이 설명하는 것은?

> 가정용, 의료용, 농업용 등과 같이 산업 전반에서 이용하는 로봇으로, 외부 환경의 변화를 스스로 인식하고, 자율적으로 동작하여 인간과 상호 작용하는 등의 도움을 주는 로봇이다.

① 지능형 로봇      ② 서비스 로봇
③ 생체 모방 로봇      ④ 자동 제어 기계
⑤ 재난 재해 대응 로봇

**07** 다음과 같은 특징을 가진 나노 기술의 이용 분야는?

> 소재를 나노 크기로 줄여 고집적도와 낮은 소비 전력을 실현한 재료로, 신개념 반도체, 디스플레이 등에 쓰인다. 그래핀, 플러렌 등과 같은 재료로도 개발되고 있다.

① 나노 센서
② 나노 로봇
③ 나노 바이오
④ 나노 신소재
⑤ 나노 에너지

자주 출제되는 문제

**08** <보기>에서 설명하고 있는 첨단 제조 기술은?

┤ 보기 ├

• 큰 덩어리를 조각하듯 깎아 내는 절삭형과 층층이 쌓아 올려 형상을 만들어 내는 적층형이 있다.
• 시제품의 제작 비용 및 시간 절감, 다품종 소량 생산과 맞춤형 제품 제작 등에 효율적이다.

① 3D 프린팅 기술
② 메카트로닉스 기술
③ 지능형 로봇 기술
④ 무인화 공장 기술
⑤ 사물 인터넷 기술

**09** <보기>에서 설명하고 있는 건설 기술의 이용 분야에 속하는 것은?

┤ 보기 ├

• 인간이 편리하고 안락한 생활을 하기 위하여 자연환경이나 자원을 효율적으로 개량하는 기술이다.
• 땅과 하천 등을 고쳐서 만드는 구조물이다.

① 주택
② 학교
③ 상가
④ 교량
⑤ 빌딩

**10** 다음에서 설명하고 있는 초고층 빌딩 건설 기술은?

> 볼트 조립, 자재 이동 등의 건설 시공 과정을 로봇이 대신하여 안전하며 인력 감소, 공사 기간 단축 등으로 생산성을 높인다.

① 화재 대비 시공
② 위성 측량 시스템
③ 지능형 타워 크레인
④ 거푸집 자동 상승 시스템
⑤ 고층 건물 시공 자동화 시스템

**11** 교량 주변에 존재하는 조력, 태양광, 파력 등을 활용하여 교량 시설을 이용하는 교량은?

① 스마트 교량
② 케이블 교량
③ 바이오 교량
④ 내진 설계 교량
⑤ 신재생 에너지 교량

**12** 내진 설계에 대한 설명으로 옳지 <u>않은</u> 것은?

① 지진을 견디어 낼 수 있도록 설계하는 것이다.
② 부르즈 칼리파 빌딩은 건물 내에 감쇠 장치(대형 추)를 설치하여 지진의 진동 에너지를 분산할 수 있게 하였다.
③ 제진 구조는 건물 중간에 설치한 장치가 지진 에너지를 흡수하도록 하여 건물의 피해를 최소화한 구조이다.
④ 면진 구조는 건축물과 땅을 분리하여 지진의 진동이 건물로 전달되는 것을 최소화하여 건물이 무너지지 않도록 한 구조이다.
⑤ 내진 구조는 건축물 내부에 고강도 철근 콘크리트 같은 지진에 강한 재료를 이용하여 건물 자체의 힘만으로도 강한 흔들림에 무너지지 않도록 한 구조이다.

**13** <보기>에서 설명하고 있는 초고층 빌딩의 화재 안전 건설 기술은?

┤ 보기 ├
영상으로 화재 지점을 자동 추적해 그곳에만 물을 뿌린다.

① 센서
② 카메라
③ 연결 다리
④ 엘리베이터
⑤ 지능형 스프링쿨러

자주 출제되는 문제

**14** 공장에서 기본 골조와 벽체, 전기 배선, 문틀 등 주택 건설의 전체 공정 중 80~90% 가량을 제작한 뒤 현장에서 조립과 일부 마감 공사로 완성하는 주택은?

① 스틸 하우스
② 모듈러 하우스
③ 액티브 하우스
④ 패시브 하우스
⑤ 에너지 제로 하우스

**15** 화석 에너지 사용으로 발생하는 탄소의 배출이 없는 에너지 제로 하우스와 거리가 가장 먼 것은?

① 초고단열벽
② 시스템 창호
③ 위성 측량 시스템
④ 태양열 급탕 시스템
⑤ 풍력·태양광 에너지 가로등

**16** 무와 배추의 성질을 모두 가진 무추를 만드는 생명 기술은?

① 핵 이식
② 세포 융합
③ 조직 배양
④ 유전자 재조합
⑤ 광유전자학 기술

**17** <보기>의 (가), (나)에 들어갈 단어를 바르게 나열한 것은?

┤ 보기 ├
( 가 ): 생명체에 유용한 유전자와 다른 생명체의 유전자를 결합시켜 특정한 목적에 맞도록 유전자 일부를 변형하여 만든 생명체를 말한다.
( 나 ): 식물의 성장에 필요한 빛, 온도, 습도, 이산화 탄소 등을 인공적으로 제어하여 계절, 기상 이변, 자연 환경, 장소 등의 제약을 받지 않고 계획적, 안정적으로 작물을 생산할 수 있는 재배 시스템이다.

| | (가) | (나) |
|---|---|---|
| ① | 유전자 가위 기술 | 세포 융합 |
| ② | 유전자 가위 기술 | 식물 공장 |
| ③ | 유전자 재조합 기술 | 세포 융합 |
| ④ | 유전자 재조합 기술 | 식물 공장 |
| ⑤ | 조직 배양 기술 | 유전자 재조합 기술 |

틀리기 쉬운 문제

**18** 식물 공장의 핵심 기술로 보기 어려운 것은?

① 양분
② 세포
③ 장소
④ 온도
⑤ 자동화

자주 출제되는 문제

**19** <보기>에서 설명하고 있는 첨단 생명 기술은?

┤ 보기 ├

- 유전체에서 원하는 부위의 DNA를 정교하게 잘라내는 기술이다.
- 유전병의 원인이 되는 돌연변이, 혈우병 등을 치료하거나, 항암 세포 치료제 개발에 쓰이고 있다.
- 농작물 품질 개량이 용이하여 유전자 변형 생명체를 만드는 기술을 대체할 수 있을 것으로 기대된다.

① 광유전학 기술
② 세포 융합 기술
③ 조직 배양 기술
④ 유전자 가위 기술
⑤ 유전자 재조합 기술

**20** 빛을 이용해 신경 세포의 활동을 조절하는 기술로 빛과 유전학을 접목한 첨단 생명 기술은?

① 광유전학 기술
② 세포 융합 기술
③ 조직 배양 기술
④ 유전자 가위 기술
⑤ 유전자 재조합 기술

틀리기 쉬운 문제

**21** 생물학의 원리를 적용하여 신체의 기능을 확장시키는 장치를 만드는 기술은?

① 딥 헬스
② 나노 로봇
③ 바이오센서
④ 바이오닉스
⑤ U-헬스 케어

**22** 로봇과 정보 통신 기술을 활용한 의료 기술 중 전자 약에 대한 설명으로 옳은 것은?

① 전기 신호를 발생시키는 전자 기기를 인체에 이식해 질병을 치료하는 전자 장치이다.
② 질병의 진단 및 수술 과정을 지원하거나 재활 훈련 등을 도와주는 로봇이다.
③ 의료 영상, 유전자 정보 등을 기반으로 정밀 의학을 실현하는 인공 지능 시스템이다.
④ 혈관 속을 이동하면서 노폐물을 제거하거나, 질병 부위를 찾아내 치료한다.
⑤ 생물학의 원리를 적용하여 신체의 기능을 확장시키는 장치를 만드는 기술이다.

**23** <보기>에서 설명하고 있는 친환경 자동차는?

┤ 보기 ├

- 에너지원: 전기
- 구동원: 모터
- 특징: 단순한 구조, 배기가스가 없음, 소음이 적음.

① 전기 자동차
② 가솔린 자동차
③ 하이브리드 자동차
④ 수소 연료 전지 자동차
⑤ 플러그인 하이브리드 자동차

**24** 첨단 해상 수송 수단인 위그선에 대한 설명으로 옳은 것은?

① 선원 없이 육지에서 원격 조정으로 이동하는 선박이다.
② 전자기력을 이용하여 빠른 속력을 얻을 수 있는 배이다.
③ 바닷속을 자유롭게 들어갔다 나올 수 있는 개인용 잠수정이다.
④ 날개가 수면과 가까워질수록 양력이 증가하고 항력이 줄어드는 원리를 이용한다.
⑤ 원자로에서 가열된 냉각수의 증기로 터빈을 돌려 원자력 추진축의 회전력을 얻는 배이다.

**25** 지표면에서 약 36,000km 고도의 정지 궤도까지 구조물을 건설하여 사람이나 물자를 나르는 수송 수단은?

① 극초음속 여객기　　　② 우주 엘리베이터
③ 페이로드 페어링　　　④ 태양광 무인 비행기
⑤ 하늘을 나는 자동차

자주 출제되는 문제

**26** 사진, 문서, 영상, 소프트웨어 등과 같은 컴퓨팅 자원을 큰 서버에 옮겨두고 사용자가 언제 어디서나 접근해 사용할 수 있는 인터넷 기반의 컴퓨팅 기술은?

① 가상 현실　　　　　② 유비쿼터스
③ 사물 인터넷　　　　④ 클라우드 컴퓨팅
⑤ 웨어러블 컴퓨터

**27** 빅 데이터의 특징으로 보기 어려운 것은?

① 데이터의 양　　　　② 데이터의 유용성
③ 데이터의 단순성　　④ 데이터의 빠른 이동
⑤ 데이터의 다양한 형태

**28** 보안·안전 관련 문제 해결 사례로 보기 어려운 기술은?

① 홍채 인식 기술　　　② 지문 인식 기술
③ 얼굴 인식 기술　　　④ 정맥 인식 기술
⑤ 디지털 인식 기술

### 서술형 문제

**29** 융합 기술의 의미와 이용 사례에 대해 서술하시오.

**30** 나노 기술의 의미와 이용 사례를 서술하시오.

**31** 생명 기술의 주요 원리를 서술하시오.

**32** 사물 인터넷의 의미와 활용 예를 서술하시오.

**33** 첨단 기술이 미치는 긍정적인 영향을 서술하시오.

예시 답안 **139**쪽

**융합 논술형 문제**

고려 시대에 만들어진 팔만대장경을 보관하고 있는 합천 해인사와 장경판전이다. 사진을 보고, 이 속에 담겨진 융합 기술을 오늘날 기술과 연관하여 서술하시오.

▲ 합천 해인사

▲ 해인사 장경판전

(출처: 공유마당)

# V 기술 활용

## 이 단원의 성취 기준과 학습 요소

| 중단원 | 소단원 | 성취 기준 | 학습 요소 |
|---|---|---|---|
| 01. 직업과 안전 | 1. 미래 기술과 직업 | · 미래의 기술 변화를 예측하고, 그에 따른 직업 세계의 변화를 전망할 수 있다. | − 미래의 기술<br>− 직업 세계의 변화 |
| | 2. 산업과 생활 안전 | · 산업 현장에서 발생하는 안전사고의 종류와 예방법을 알 수 있다.<br>· 생활 속에서 안전사고를 예방할 수 있다. | − 산업 재해<br>− 생활 속 안전 |
| | 3. 자동차 안전 | · 자동차에 의한 사고의 원인과 사례를 알 수 있다.<br>· 자동차 사고 예방을 위한 올바른 이용 방법을 설명할 수 있다. | − 자동차 사고의 원인<br>− 자동차 사고의 사례<br>− 안전 운전 |
| 02. 기술 혁신과 발명 | 1. 기술 혁신과 제품 설계 | · 기술 혁신을 위한 창의 공학 설계를 이해하고, 제품을 창의적으로 구상하여 설계할 수 있다.<br>· 설계의 기초를 이해하고 도면을 통해 아이디어를 표현할 수 있다. | − 기술 혁신<br>− 창의 공학 설계 |
| | 2. 발명과 창업 | · 발명을 통한 기술적 문제 해결 방법과 지식 재산권의 권리와 보호에 대하여 설명할 수 있다.<br>· 발명에서 창업까지의 과정을 알 수 있다. | − 발명<br>− 특허<br>− 지식 재산권<br>− 창업 |
| | 3. 기술 연구 개발과 표준 | · 기술 연구 개발 과정에 적용되는 표준을 설명할 수 있다.<br>· 국내외 표준 사례를 분석하여 특허 표준의 필요성과 중요성을 안다. | − 기술 연구 개발<br>− 표준화 |
| | 4. 톡톡! 아이디어, 생활용품 만들기 | · 발명과 표준에 관련된 체험 활동을 통하여 기술적 문제를 창의적으로 해결한다. | − 발명<br>− 표준 |
| 03. 지속 가능한 발전 | 1. 지속 가능한 발전 | · 사회, 경제, 환경 측면에서의 지속 가능한 발전을 설명할 수 있다.<br>· 일상생활에서 적용할 수 있는 지속 가능한 발전을 위한 기술을 조사하고 발표할 수 있다. | − 지속 가능한 발전<br>− 지속 가능한 발전 기술 |
| | 2. 적정 기술 | · 적정 기술을 설명할 수 있다.<br>· 적정 기술과 관련된 문제를 창의적으로 탐색하고 실현하며 평가할 수 있다. | − 적정 기술<br>− 적정 기술의 활용 |

# Ⅴ 기술 활용

출제 point
1. 미래 직업 세계의 변화와 유망한 직업 분야를 묻는 문제
2. 산업 현장 및 생활 속에서의 안전사고 예방을 묻는 문제
3. 자동차 사고의 원인과 사례 및 관리 분야를 묻는 문제

## 핵심 정리

## 1. 미래 기술과 직업

**❶ 미래의 기술 변화**

사례
• 수송 기술 + 정보 통신 기술 → 무인 자동차
• 생명 기술 + 정보 통신 기술 → 건강 관리 서비스

① **융합 기술**: 기술은 끊임없이 발전하고 있고 서로 다른 기술의 영역이 융합된 형태로 나타남.

② **융합 기술과 직업**: 융합 기술이 가속화되면서 관련 산업과 직업도 새롭게 등장

**❷ 직업 세계의 변화에 따른 필요 능력의 변화**

① **직업 세계의 변화**: 기술의 발달은 직업의 변화 및 직업의 소멸과 생성에 많은 영향

② **필요 능력의 변화**
  ㉠ **창의성**: 가치 있는 아이디어와 산출물을 생산하는 능력
  ㉡ **자기 리더십**: 끊임없이 자기 성장을 이루는 능력
  ㉢ **대인 관계**: 자신과 상대방의 의도를 파악하여 소통하는 능력
  ㉣ **비판적 사고**: 정보를 분석하고 평가하여 합리적으로 선택, 활용할 수 있는 능력

**❸ 미래 직업 세계의 변화와 유망한 직업**

① **첨단 제조 기술**: 공장 자동화, 산업용 로봇, 인공 지능 등으로 제조 기술 발전
  ㉠ **공장 자동화 컨설턴트**: 최적의 방법으로 공장 생산 설비를 자동화하기 위해 자문 및 계획을 수립
  ㉡ **메카트로닉스 공학 기술자**: 자동화 공정 시스템을 연구

② **첨단 건설 기술**: 새로운 건축 자재와 신공법 등을 적용하여 건설 기술 발전
  ㉠ **빌딩 정보 모델링 디자이너**: 컴퓨터를 이용하여 시설의 모든 정보를 3차원으로 구현하여 실무에 필요한 산출물을 만들어가는 과정으로 빌딩의 설계를 사전에 검토 및 시행
  ㉡ **녹색 건축 전문가**: 생태 공간 조성, 에너지 효율 고려, 친환경 자재 사용 등을 통해 설계·시공 안을 계획하고 검토

③ **첨단 생명 기술**: 여러 생명 기술들을 적용하여 유용한 가치 생산

  ㉠ **유전 상담사**: 유전 관련 정보를 제공하여 질병 예방 및 치료
  ㉡ **인지 뇌공학 전문가**: 뇌의 정보 처리 구조와 원리를 이해하고 실제 세계와 상호 작용하는 인공 지능 시스템을 구현

④ **첨단 수송 기술**: 드론, 자율 주행 자동차 등이 등장하면서 수송 기술 발전
  ㉠ **항공 우주 공학자**: 우주선을 개발하는 직업으로 우주 정거장 건설 관련 기술과 우주선을 다루는 직업
  ㉡ **무인 항공기 시스템 개발자**: 무인 항공기 시스템의 설계, 제조, 작동 및 유지에 필요한 활동을 수행하고 자동 운항 시스템의 설계 및 개발

⑤ **첨단 통신 기술**: 인공 지능, 빅 데이터, 사물 인터넷, 가상 현실 등으로 통신 기술이 발전
  ㉠ **인공 지능 전문가**: 컴퓨터와 로봇 등이 인간과 같이 사고하고 의사 결정을 할 수 있는 기술을 개발
  ㉡ **가상 현실 전문가**: 가상의 시공간에서 여러 세계를 체험할 수 있도록 가상의 시스템을 개발하는 직업
  └─ 병원 수술실, 게임, 모의 비행기 조종 훈련, 가상 모델 하우스 등

## 2. 산업과 생활 안전

**❶ 산업 현장에서의 안전**

① **제조 현장**: 생활에 필요한 제품을 생산하는 제조 현장에서는 각종 장비와 기계를 사용하는 작업 과정에서 안전사고가 자주 발생(전기·크레인·프레스 및 고속 회전체·용접 작업 등)

② **건설 현장**: 건물, 설비, 시설 등을 세우는 건설 현장에서는 건설 구조물의 시공 과정에서 각종 안전사고가 자주 발생(철골 조립, 가설 구조물, 철근 콘크리트, 외부 도장 공사 등)

**❷ 생활 속에서의 안전**

산업의 발달과 함께 생활은 편리해졌지만 생명과 안전을 위협하는 요인도 증가, 생활 속에서 각종 안전사고를 예방하고 안전 의식을 정착시키기 위해서는 안전에 대한 올바른 지식과 가치관 및 태도가 필요

## 3. 자동차 안전

###  자동차 사고의 원인과 사례

주로 운전자의 부주의, 주위 환경, 차량 결함 등의 원인으로 발생되며, 자동차 작동의 미숙과 올바른 관리 방법에 대한 기술적 소양 부족 등도 원인

① **운전자 부주의로 인한 사고**: 주로 교통 신호 위반, 불법 유턴, 차선 위반, 안전거리 미확보, 안전띠 미착용 등의 교통 법규 위반으로 발생(과속 운전, 음주 운전, 졸음운전, 운전 중 휴대 전화 사용, DMB 시청 등은 전방 주시율을 줄어들게 하여 대형 사고의 원인이 됨.)

② **환경 요인에 의한 사고**: 운전자가 사전에 인지하기 어려운 환경 요인도 자동차 사고 발생의 주요 요인(날씨 상태, 불합리한 도로 구조 및 노면 상태, 교통안전 시설의 미비, 장마철 도로 낙석, 쓰러진 가로수 등 장애물이 갑자기 나타나 일어나는 사고 등)

③ **차량 결함에 의한 사고**: 정비 불량이나 구조 결함 등이 원인

### 2 자동차의 작동과 관리

자동차의 안전한 운행을 위해서는 올바른 운전 자세와 함께 자동차의 점검과 관리를 생활화하는 것이 필요

① **자동차의 작동**: 변속기의 종류에 따라 자동 변속기 차량과 수동 변속기 차량이 있음.

② **자동차의 관리**: 자동차는 주행 거리가 늘어남에 따라 부품이 마모 또는 손상되어 고장 및 사고의 원인이 되므로 점검과 정비를 철저히 하여 자동차를 최적의 상태로 유지하는 것이 자동차의 수명도 연장하고, 안전을 위해서도 중요

㉠ **일상 점검**: 자동차를 운행하기 전에 운전자가 차량 외관, 엔진룸 상태, 계기판 및 각종 장치의 작동 상태 등을 직접 점검하는 것

㉡ **정기 점검**: 점화 플러그 및 배선, 각종 오일 교환 등 일정한 기간마다 점검하는 것

---

## 교과서 활동 풀이

교과서 171쪽

**안전한 학교, 대피 이동 통로 알아보기**

지진이나 화재 등이 발생했을 때 대피 이동 통로는 어떻게 되는지 적어 보자.

**예시 답안**

그림이나 문장으로 표현한다.

㉠ 1층에 위치한 학급이 먼저 이동한다. 2층인 우리 반은 계단 쪽인 4반, 5반이 모두 대피한 후, 동쪽 계단을 통해 신속하게 운동장으로 대피한다.

교과서 175쪽

**자동차 사고 응급조치 요령**

다음은 자동차 사고 시 초기 대처법을 나타낸 것이다. 자동차 사고가 발생했을 때 운전자의 조치 사항을 조사하여 빈칸에 기록해 보자.

**예시 답안**

1. 경찰에 사고 발생을 신고한다.

2. 부상자나 응급 환자가 발생했을 때는 부상자를 함부로 움직이지 말고 119에 연락을 취한다.

3. 사고 현장에서 2차 추돌 사고가 일어나지 않도록 최소 인원 외에는 모두 안전지대로 대피하고 다른 차량이 주의할 수 있도록 삼각대를 세운다.

4. 보험사에 연락하여 담당 직원의 도움을 받도록 한다.

**1** 정보 사회와 함께 기술이 급격하게 발달하면서 각 기술은 독립적으로 활용되기보다는 다른 분야와 융합하여 이용되는 형태로 나타나고 있다.

( O , X )

**2** 직업 세계의 변화에 따른 주요 필요 능력으로 보기 어려운 것은?

① 창의성　　　　　② 대인 관계
③ 보편적 지식　　　④ 비판적 사고
⑤ 자기 리더십

**3** 기계 공학의 한 부분으로 자동화 공정 시스템을 연구·설계·개발하는 첨단 제조 기술 분야의 직업은 (　　　　　) 공학 기술자이다.

**4** 첨단 통신 기술 분야의 미래 유망 직업은?

① 빅 데이터 전문가　　　② 녹색 건축 전문가
③ 생체 인식 기술자　　　④ 항공 우주 공학자
⑤ 실버 로봇 서비스 기획자

**5** 누전 등으로 전류가 일정한 값을 초과하였을 때 자동으로 전원을 차단하도록 한 장치를 무엇이라 하는지 쓰시오.

**6** 철근 콘크리트 공사에서 양생은 콘크리트를 붓고 고르기 하는 작업이고, 타설은 콘크리트 타설 후 콘크리트가 충분히 경화될 때까지 보호하는 것이다.

( X , O )

**7** 자전거 안전사고 예방으로 옳지 <u>않은</u> 것은?

① 안전모를 반드시 착용한다.
② 둘이 함께 타는 것은 위험하다.
③ 방향을 바꿀 때는 수신호로 갈 방향을 알려 준다.
④ 횡단보도를 건널 때에는 자전거를 타고 천천히 건넌다.
⑤ 골목길에서 큰길로 나올 때에는 멈춰 전후좌우를 살핀다.

**8** 지진 발생 직후에는 책상 아래로 들어가 책상다리를 꼭 잡거나 책가방, 책, 방석, 손 등으로 머리를 보호한다.

( O , X )

**9** 사고가 났을 때 차량 내부에 부딪치는 것을 막아 주고 충격을 분산해 주기 위해 자동차에 탑승하면 꼭 매어야 하는 것을 쓰시오.

**10** 다음 자동차의 안전사고 중 차량 결함이 원인인 것은?

① 불법 유턴　　　　　② 날씨 상태
③ 안전띠 미착용　　　④ 타이어 정비 불량
⑤ 불합리한 도로 구조

**11** 자동차를 운행하기 전에 각종 장치의 상태를 운전자가 직접 점검하는 것을 정기 점검이라 하며, 일정한 기간마다 정기적으로 점검하는 것을 일상 점검이라 한다.

( O , X )

**12** 다른 운전자나 보행자가 교통 법규를 지키지 않거나 위험한 행동을 하더라도 운전 중에 위험 사태를 미리 예측하고, 적절하게 대처하면서 운전하는 적극적인 운전 방법을 쓰시오.

**01** 다음이 설명하는 직업 세계의 변화에 따른 주요 필요 능력으로 적절한 것은?

> 새로운 시각에서 통찰력과 융통성 있는 사고와 발상으로 가치 있는 아이디어와 산출물을 생산하는 능력이다.

① 창의성
② 대인 관계
③ 자기 리더십
④ 비판적사고
⑤ 문제 해결 능력

**02** <보기>에서 설명하는 미래 직업 세계의 변화에 유망한 직업은?

┤ 보기 ├
- 녹지 등의 생태 공간 조성, 에너지 효율 고려, 친환경 자재 사용 등을 통해 녹색 건축 인증 기준에 적합하도록 설계·시공 안을 계획하고 검토한다.
- 적용 가능한 요소들을 제안하여 건축물의 물리적 환경 성능을 향상시키기 위한 기술 및 컨설팅을 수행하는 건축가 또는 관련 엔지니어이다.

① 건설 코디네이터
② 건축 안전 기술자
③ 도시 재생 전문가
④ 녹색 건축 전문가
⑤ 빌딩 정보 모델링 디자이너

**03** 첨단 생명 기술 관련 미래 유망 직업으로만 짝지어진 것은?

① 가상 현실 전문가, IT 컨설턴트, 빅 데이터 전문가
② 공장 자동화 컨설턴트, 메카트로닉스 공학 기술자
③ 유전 상담사, 인지 뇌공학 전문가, 생체 인식 기술자
④ 녹색 건축 전문가, 건설 코디네이터, 건축 안전 기술자
⑤ 항공 우주 공학자, 무인 자동차 전문가, 우주여행 기획자

**04** <보기>에서 설명하고 있는 제조 현장의 안전사고 유형 및 예방에 속하는 작업은?

┤ 보기 ├

- 노출된 전기 충전부는 충분하게 절연 조치한다.
- 정비·수리 작업 시에는 전원을 차단한다.
- 접지 및 누전 차단기를 설치한다.

① 절삭 작업
② 용접 작업
③ 전기 작업
④ 프레스 작업
⑤ 크레인 작업

**05** 건설 현장에서 발생하는 안전사고 유형으로 보기 어려운 것은?

① 철골 조립 공사
② 프레스 가공 공사
③ 가설 구조물 공사
④ 철근 콘크리트 공사
⑤ 외부 도장 공사

**06** 보행 중 안전사고 예방 방법으로 보기 어려운 것은?

① 횡단보도에서는 녹색 신호에 왼쪽으로 건넌다.
② 음악을 듣거나 전화 통화를 하면서 횡단하지 않는다.
③ 눈, 비로 인해 길이 미끄러울 때는 차로부터 멀리 떨어져 걷는다.
④ 주차된 차량 사이 또는 차량 앞으로 지나갈 때 사고 위험이 높으므로 천천히 걷는다.
⑤ 자동차가 회전할 때 내륜차로 인해 사고가 발생할 수 있으므로 차도나 길모퉁이에 내려서지 않는다.

**07** 지진 발생 시 행동 요령으로 바르지 <u>않은</u> 것은?

① 지진이 발생하면 곧바로 장애물이 없는 넓은 장소로 대피한다.

② 대피 후에는 대피 장소에서 인솔 교사의 안내에 따라 행동한다.

③ 대피 중에는 떨어지는 물건에 유의하며 책가방 등으로 머리를 보호한다.

④ 지진 발생 직후에는 책상 아래로 들어가 책상다리를 꼭 잡고 머리를 보호한다.

⑤ 흔들림이 멈춘 후에는 문을 열어 출구를 확보하고 피난 경로를 따라 침착하게 대피한다.


**08** 자동차의 안전한 이용을 위해 승차 시 안전띠를 꼭 매야하는 이유로 옳은 것은?

① 승차한 사람의 안전을 보호받는다.

② 승차한 사람의 신원 파악에 도움이 된다.

③ 차량 내에서 주변 친구들과 장난을 방지한다.

④ 차를 승차하고 순서대로 자리에 앉을 수 있다.

⑤ 차량 내에서 창문 밖으로 머리를 내밀지 못한다.


**09** <보기>에서 설명하고 있는 교통 표지는?

┤ 보기 ├

도로 상태가 위험하거나 위험물이 있는 경우, 안전 조치를 할 수 있도록 알리는 표지이다.

① 보조 표지      ② 안내 표지

③ 규제 표지      ④ 지시 표지

⑤ 주의 표지


**10** 자동차의 자동 변속기 레버에서 중립을 나타내는 것은?

① P            ② R

③ D           ④ N

⑤ A


**11** <보기>의 (가)와 (나)에 해당하는 단어가 바르게 연결된 것은?

┤ 보기 ├

( 가 ): 브레이크를 걸기로 결정하고 조작하는 시간까지 이동한 거리

( 나 ): 브레이크가 유효한 작용이 되는 동안 이동한 거리

| | (가) | (나) | | (가) | (나) |
|---|---|---|---|---|---|
| ① | 공주 거리 | 정지 거리 | ② | 정지 거리 | 공주 거리 |
| ③ | 공주 거리 | 제동 거리 | ④ | 정지 거리 | 제동 거리 |
| ⑤ | 제동 거리 | 정지 거리 | | | |


**12** <보기>의 그림에 나타난 자동차의 안전한 운행으로 적절한 것은?

┤ 보기 ├

① 교통신호 지키기

② 규정 속도 지키기

③ 졸음운전 안 하기

④ 자동차 점검·정비 생활화하기

⑤ 운전 중 휴대 전화 및 DMB 시청 안 하기

**중요**
**01** 미래의 기술 변화에 대한 설명으로 바르지 <u>않은</u> 것은?

① 기술의 발달은 새로운 직업에서 요구되는 능력도 변화시키고 있다.
② 수송 기술과 정보 통신 기술의 융합으로 무인 자동차가 등장하게 되었다.
③ 첨단 기술이 서비스, 의료, 에너지, 환경 등 다양한 분야와 융합하면서 발전하게 되었다.
④ 정보 사회와 함께 기술이 급격하게 발달하면서 각 기술은 독립적으로 활용되기 시작했다.
⑤ 생명 기술과 정보 통신 기술의 융합으로 건강관리 서비스를 언제 어디서나 받을 수 있게 되었다.

**02** <보기>는 직업 세계의 변화에 따른 주요 필요 능력에 대한 설명이다. (가), (나)에 들어갈 능력이 바르게 연결된 것은?

┤ 보기 ├
( 가 ): 타인에게 공감하고 자신과 상대방의 의도를 정확히 파악하여 설득력 있게 소통하는 능력이다.
( 나 ): 정보를 정확히 분석하고 평가하여 합리적으로 선택, 활용할 수 있는 능력이다.

|  | (가) | (나) |
|---|---|---|
| ① | 창의성 | 대인관계 |
| ② | 창의성 | 자기 리더십 |
| ③ | 대인 관계 | 비판적 사고 |
| ④ | 대인 관계 | 자기 리더십 |
| ⑤ | 자기 리더십 | 창의성 |

**03** 첨단 제조 기술에 해당하는 미래 유망 직업은?

① 가상 현실 전문가
② 도시 재생 전문가
③ 인지 뇌공학 전문가
④ 지능 로봇 연구 개발자
⑤ 빌딩 정보 모델링 디자이너

**04** 다음에서 설명하는 미래 유망 직업의 분야는?

> 인공 지능 전문가, 가상 현실 전문가, IT 컨설턴트, 디지털 큐레이터, 빅 데이터 전문가, 사물 인터넷 개발자, 정보 시스템 운영자 등의 직업이 있다.

① 첨단 제조 기술
② 첨단 건설 기술
③ 첨단 생명 기술
④ 첨단 수송 기술
⑤ 첨단 통신 기술

**05** 우주선을 개발하는 직업으로 우주 정거장 건설 관련 기술과 우주선을 다루는 기술이 필요한 직업은?

① 우주여행 기획자
② 항공 우주 공학자
③ 항공 통신 기술자
④ 무인 자동차 전문가
⑤ 무인 항공기 시스템 개발자

**06** <보기>에서 설명하고 있는 제조 현장의 안전사고 유형 및 예방에 속하는 작업은?

┤ 보기 ├

• 손상되거나 부식되지 않은 적절한 와이어 로프를 사용한다.
• 인양물 운반 구간에는 근로자의 출입을 금지한다.

① 절삭 작업
② 용접 작업
③ 전기 작업
④ 프레스 작업
⑤ 크레인 작업

**07** 철골 조립 건설 공사 현장의 안전사고 예방에 속하는 것은?

① 떨어짐 방지망을 설치한다.
② 비계기둥의 조립 간격을 준수한다.
③ 안전 난간과 안전대 걸이 시설을 설치한다.
④ 안전대를 안전대 걸이용 줄에 걸고 작업한다.
⑤ 가설 구조물은 벽이음하여 무너짐을 방지한다.

**08** 콘크리트 타설 후 콘크리트가 충분히 경화될 때까지 보호하는 것은?

① 비계
② 타설
③ 양생
④ 가설
⑤ 거푸집

**09** <보기>는 보행 중 안전사고 예방에 대한 설명이다. 옳은 것을 모두 고르면?

┤ 보기 ├
가. 횡단보도에서는 녹색 신호에 오른쪽으로 건넌다.
나. 음악을 듣거나 전화를 하면서 횡단하지 않는다.
다. 눈, 비로 인해 길이 미끄러울 때는 차로부터 멀리 떨어져 걷는다.
라. 주차된 차량 사이 또는 차량 앞으로 지나갈 때 사고 위험이 높으므로 천천히 걷는다.
마. 자동차가 회전할 때 내륜차로 인해 사고가 발생할 수 있으므로 차도나 길모퉁이에 내려서지 않는다.

① 가, 나, 다
② 가, 나, 라, 마
③ 가, 나, 다, 마
④ 가, 다, 라, 마
⑤ 가, 나, 다, 라, 마

**10** 자전거 안전사고 예방 방법으로 바르지 <u>않은</u> 것은?

① 둘이 함께 타거나 뒤에 서서 탄다.
② 자전거를 탈 때에는 반드시 안전모를 착용한다.
③ 횡단보도를 건널 때에는 자전거를 끌고 건넌다.
④ 방향을 바꾸거나 멈출 때는 수신호로 갈 방향을 알려 준다.
⑤ 골목길에서 큰길로 나올 때에는 멈춰 서서 전후좌우를 살핀다.

**11** <보기>의 설명은 어떤 화재 사고를 예방하는 방법인가?

┤ 보기 ├
• 문어발식 배선은 하지 않는다.
• 플러그는 반드시 몸체를 잡아서 뽑는다.

① 가스 화재
② 전기 화재
③ 불티 화재
④ 학교 화재
⑤ 자동차 화재

**중요**
**12** 화재 발생 시 대피 요령으로 옳지 <u>않은</u> 것은?

① 화재 경보 비상벨을 누른다.
② 엘리베이터를 이용하여 신속하게 대피한다.
③ 밖으로 대피하기 힘들 때에는 세대 내 대피 공간으로 이동한다.
④ 불을 발견하면 "불이야"라고 큰소리로 외쳐 다른 사람에게 알린다.
⑤ 불길 속을 통과할 때에는 물에 적신 담요나 수건 등으로 몸과 얼굴을 감싼다.

**13** 다음 중 환경적 요인에 의한 교통사고의 원인에 해당하는 것은?

① 음주 운전
② 타이어 파손
③ 교통 법규 위반
④ 난폭 및 보복 운전
⑤ 장마철의 도로 낙석

**14** <보기>에서 설명하고 있는 교통 표지는?

| 보기 |

도로 교통의 안전을 위하여 각종 제한 금지 등을 알리는 표지이다.

직진 금지    일시 정지

① 보조 표지
② 안내 표지
③ 규제 표지
④ 지시 표지
⑤ 주의 표지

 **15** 자동차의 운행에 대한 설명으로 옳은 것은?

① 급가속, 급제동을 하면 연료를 절약할 수 있다.
② 자동 변속기의 기어가 체결되지 않은 중립 상태는 [P]이다.
③ 자동 변속기 차량은 주행할 때 변속 레버를 [R]의 위치에 놓는다.
④ 클러치 페달을 밟은 상태에서 가속 페달을 밟으면 자동차가 출발한다.
⑤ 위험 사태를 미리 예측하고 적절한 조치를 준비하면서 운전하는 것이 방어 운전이다.

**16** <보기>는 자동차의 자동 변속기 레버를 나타낸 것이다. P가 의미하는 것은?

| 보기 |

브레이크 페달

가속 페달

P R N D

① 주차
② 후진
③ 주행
④ 중립
⑤ 자동

**17** 자동차의 일상 점검에 속하지 <u>않는</u> 것은?

① 냉각수, 브레이크액의 양
② 브레이크 및 클러치의 유격
③ 타이어 공기압 및 마모 상태
④ 엔진 오일의 양과 오일 상태
⑤ 브레이크 패드 및 라이닝 상태

**18** 브레이크가 유효한 작용이 되는 동안 이동한 거리는?

① 공주 거리
② 제동 거리
③ 정지 거리
④ 이동 거리
⑤ 감지 거리

# V 기술 활용

**02. 기술 혁신과 발명**

출제 point
1. 기술 혁신과 창의 공학 설계 분야를 묻는 질문
2. 제품의 구상과 설계 분야를 묻는 질문
3. 발명 및 특허와 지식 재산권, 창업 분야를 묻는 질문
4. 기술 연구 개발과 표준화를 묻는 질문

**핵심 정리**

## 1. 기술 혁신과 제품 설계

### ❶ 기술 혁신과 창의 공학 설계

① **기술 혁신**
  ㉠ 새로운 생산 기술의 획기적인 발전, 새로운 상품의 도입, 새로운 자원의 개척 및 새로운 경영 조직의 도입 등으로 인해 경제 사회 구조에 큰 변화가 일어나는 것
  ㉡ 경제 성장과 함께 생활의 편리함과 새로운 문화나 생활 방식을 만들어 냄.

② **창의 공학 설계**: 문제를 해결하기 위해 문제의 핵심을 파악한 후 창의 발상 도구를 활용하여 아이디어를 창출하고, 평가하는 과정을 거쳐 최적의 해결책을 찾아 구체화하는 것

③ **창의 공학 설계 과정**
  ㉠ **문제 인식**: 주어진 문제의 핵심을 파악하고 진짜 문제가 무엇인지를 분석하여 구체화하고 명료화하는 단계
  ㉡ **아이디어 창출**: 확산적 사고 기법을 사용하여 가능한 많은 아이디어를 찾는 단계 ┌ 브레인스토밍, 마인드맵, 스캠퍼 등
  ㉢ **아이디어 평가**: 수렴적 사고 기법을 사용하여 아이디어를 다듬고 평가하는 단계 ┌ PMI, 하이라이팅, 평가 행렬법 등
  ㉣ **아이디어 선정**: 평가한 아이디어 중에서 최적의 해결책을 찾아 선정하는 단계
  ㉤ **아이디어 구체화**: 선정한 아이디어로 제품을 제작할 수 있도록 도면을 그리고 시제품 제작, 평가 등의 과정을 거쳐 아이디어를 구체화하는 단계

### ❷ 제품의 구상과 설계

① **제도의 이해**
  ㉠ **제도**: 물체의 모양이나 크기 등을 정해진 규칙에 따라 선, 문자, 기호 등으로 평면 위에 나타내는 작업
  ㉡ **도면**: 제도로 그린 그림으로 설계자의 의도를 생산자나 사용자에게 바르게 전달하기 위해 약속된 규칙을 따름.
  ㉢ **제도 통칙**: 우리나라에서는 한국 산업 표준(KS)의 제도 통칙(KS A 0005)에 따라 도면을 그리도록 규정

② **물체의 투상법**
  ㉠ **투상법**: 물체의 형태를 일정한 규칙에 따라 평면에 그리는 것
  ㉡ **투상도**: 투상법으로 그린 도면으로 물체를 보는 눈의 위치와 물체를 놓는 방법에 따라 정투상법, 등각투상법, 사투상법, 투시투상법 등으로 나뉨.

③ **아이디어의 표현**: 구상한 아이디어는 스케치, 구상도, 제작도 등의 도면으로 표현
  ┌ 구상도를 바탕으로 실제로 제품의 제작이 가능하도록 자세하게 그린 도면
  ┌ 자유롭고 빠르게 그림으로 표현하는 것
  ┌ 물체의 특징이나 크기 등을 제도 규칙에 따라 입체적으로 그린 그림

## 2. 발명과 창업

### ❶ 발명

① **발명**: 불편함을 개선하고 문제를 해결하기 위하여 이론적 지식이나 기술적 활동을 통해 물건이나 방법, 서비스를 새롭게 생각하여 만들어 내는 것

② **특성**: 창의성, 실용성, 경제성

③ **유형**
  ㉠ **방법의 발명**: 실제 제품으로 만드는 물건의 발명과 제품의 생산 방법이나 사용 방법을 만들어 내는 것
  ㉡ **시스템의 발명**: 형태가 없으면서도 사무 처리의 속도를 개선하는 것

### ❷ 발명을 통한 기술적 문제 해결 방법

① 발명한 제품이나 방법, 서비스, 시스템 등을 설계, 창출, 개선하기 위해 도구, 재료 및 공정을 이용하여 문제를 분석하고 해결하는 과정

② **과정**: 문제 확인 → 계획 → 실행 → 평가

### ❸ 특허와 지식 재산권

① **특허**: 기술 연구 개발 과정에서 창출된 창의적인 아이디어나 새로운 발명품에 대하여 다른 사람이 만들거나 판매하지 못하도록 일정한 기간 동안 독점적 권리를 갖도록 하는 것

② **지식 재산권**: 인간의 창작물을 보호하기 위하여 부여하는 권리로, 인간의 지적·정신적 활동의 성과로 얻어진 무형의 재능에 대한 권리

**창업**

① **창업**: 사업 아이디어를 가지고 기업을 설립하는 것
② **창업 아이디어**: 발명품, 새롭게 고안한 방법이나 서비스, 컴퓨터 소프트웨어 또는 스마트폰 애플리케이션 등

## 3. 기술 연구 개발과 표준

**1** **기술 연구 개발**

기술에 대한 새로운 지식이나 원리를 탐색하고, 연구 성과를 실용화하여 제품화하는 일

**2** **표준화**

생활의 편리와 효율성 향상을 위하여 통일된 기준과 규칙을 정하고 지키는 모든 활동

**3** **국가 표준과 국제 표준**

① **국가 표준**: 국가의 모든 활동 분야, 즉 경제, 사회, 과학 기술, 교육, 문화 등에서 국민 모두가 지켜야 할 객관적인 기준으로 '국가 표준 기본법'에서 규정하는 모든 표준
② **국제 표준**: 상품 및 서비스의 국가 간 교류를 원활하게 하고, 지식, 과학 기술 및 경제 활동의 협력 발전을 목적으로 국제표준화기구(ISO)와 같은 표준 기관에서 제정한 표준

## 4. 톡톡! 아이디어, 생활용품 만들기

재활용품을 활용하여 창의적이고 실용성이 뛰어난 생활용품을 모둠으로 협력하여 만들기(문제 확인 — 계획 — 실행 — 협업하여 완성하기 — 평가)

---

## 교과서 활동 풀이

 **스스로 활동 1**

교과서 185쪽

**미래 자동차 스케치**

레오나르도 다빈치가 그린 아래의 비행 장치 스케치를 참조하여 하늘을 나는 미래의 자동차를 상상하여 스케치해 보자.

**예시 답안**

스케치 방법으로 그림을 나타내고, 그림으로 설명이 안 되는 부분은 문장으로 간단히 표현한다.

 **스스로 활동 2**

교과서 191쪽

**창업의 유형**

다음은 창업의 유형을 나타낸 것이다. 각 유형의 형태는 어떤지 조사해 보자.

**예시 답안**

• 1인 창조 기업: 창의적인 아이디어, 전문지식 등을 가진 자가 독립적으로 영리를 목적으로 활동하는 1인 기업.
• 소호(SOHO): 소호(SOHO)란 영어의 'Small Office Home Office(소규모 사무실)'의 머리글자를 따서 만든 신조어로서, 소규모 자영업.
• 벤처(venture): 첨단의 기술과 아이디어를 가진 사업자가 높은 기대 수익을 확신하고 아무도 시작하지 않은 새로운 사업을 위해 설립하는 기업.
• 소상공인: 소상공인은 상시 근로자 수 5인 이하(제조업, 광업, 건설업, 운수 업체는 10인 이하)의 사업자.

 **스스로 활동 3**

교과서 194쪽

**생활 속 표준화**

생활 속에서 표준화가 되지 않아 불편한 것에는 무엇이 있는지 찾아보자.

**예시 답안**

식당마다 밥그릇(반 한 공기)의 크기가 달라 불편하다. 색연필의 굵기가 회사마다 달라 불편하다. 어느 고깃집에 가면 1인분이 200g, 150g 등으로 다양하다. 등 생활 속에서 표준화가 되지 않아 불편한 것을 제시할 수 있다.

**1** 새로운 생산 기술의 획기적인 발전, 새로운 상품의 도입, 새로운 자원의 개척 및 새로운 경영 조직의 도입 등으로 인해 경제 사회 구조에 큰 변화가 일어나는 것을 무엇이라고 하는지 쓰시오.

**2** 물체의 모양이나 크기 등을 정해진 규칙에 따라 선, 문자, 기호 등으로 평면 위에 나타내는 작업은?
① 도면 　　　　　 ② 구상
③ 설계 　　　　　 ④ 제도
⑤ 척도

**3** 도면에서 문자는 한글, 영문, 숫자 등을 사용하고, 가로쓰기를 원칙으로 한다.
( O , X )

**4** 물체의 각 면을 직각으로 투상하여 나타내는 방법으로 제3각법과 제1각법이 있는데, 이를 무엇이라 하는지 쓰시오.

**5** 물체의 정면, 평면, 측면을 같은 기울기로 하나의 투상면 위에서 동시에 볼 수 있는 투상법은?
① 정투상법 　　　　 ② 사투상법
③ 전개도법 　　　　 ④ 등각투상법
⑤ 투시투상법

**6** 스케치는 구상한 아이디어를 제도 용구 없이 자유롭고 빠르게 그림으로 표현하는 것으로 주로 프리핸드 스케치를 이용한다.
( O , X )

**7** 물체를 구성하는 각 부품의 모양과 구조를 상세하게 나타낸 도면은?
① 조립도 　　　　　 ② 부품도
③ 상세도 　　　　　 ④ 설명도
⑤ 구상도

**8** 발명은 생활을 편리하게 만들어 주는 것으로 창의성, 실용성, 경제성을 갖추어야 한다.
( O , X )

**9** 인간의 창작물을 보호하기 위하여 부여하는 권리로, 인간의 지적·정신적 활동의 성과로 얻어진 무형의 재능에 대한 권리를 무엇이라고 하는지 쓰시오.

**10** 개인이나 집단이 사업 아이디어를 가지고 기업을 설립하는 것은?
① 발명 　　　　　 ② 특허
③ 창업 　　　　　 ④ 출원
⑤ 구상

**11** 생활의 편리와 효율성 향상을 위하여 통일된 기준과 규칙을 정하고 지키는 모든 활동을 무엇이라고 하는지 쓰시오.

**12** 기술에 대한 새로운 지식이나 원리를 탐색하고, 연구 성과를 실용화하여 제품화하는 일을 무엇이라고 하는지 쓰시오.

**정답**
1. 기술 혁신 2. ④ 3. O 4. 정투상법 5. ④ 6. O 7. ② 8. O 9. 지식 재산권 10. ③ 11. 표준화 12. 기술 연구 개발

**01** 다음에서 설명하는 창의 공학 설계 과정은?

> 주어진 문제의 핵심을 파악하고 진짜 문제가 무엇인지를 분석하여 구체화하고 명료화하는 단계이다.

① 문제 인식                    ② 아이디어 창출
③ 아이디어 평가              ④ 아이디어 선정
⑤ 아이디어 구체화

**02** 척도에 대한 설명으로 바르지 <u>않은</u> 것은?

① 실물과 같은 크기로 그리는 것은 현척이다.
② 실물보다 작게 축소하여 그리는 것은 축척이다.
③ 실물보다 크게 확대하여 그리는 것은 배척이다.
④ 현척을 실척이라고도 하며, 1:1의 형태로 나타낸다.
⑤ 실물 크기와 제도용지에 나타낼 물체의 크기와의 비율을 나타낸 것이다.

**03** 용도에 따른 선의 이름 중 외형선에 대한 설명은?

① 물체의 움직임을 가상으로 나타낼 때 사용
② 물체의 보이는 부분의 모양을 나타낼 때 사용
③ 물체의 보이지 않는 부분의 모양을 표시할 때 사용
④ 부분 생략 또는 부분 단면의 경계를 표시할 때 사용
⑤ 치수를 나타내기 위해 물체의 외형선을 연장할 때 사용

**04** <보기>는 정투상법으로 물체를 나타낸 것이다. (가), (나)에 들어갈 단어를 바르게 연결한 것은?

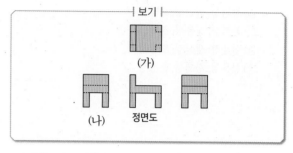

| 보기 |

(가)

(나)  정면도

    (가)      (나)          (가)      (나)
① 평면도   좌측면도    ② 평면도   우측면도
③ 평면도   배면도      ④ 저면도   평면도
⑤ 배면도   평면도

**05** 완성될 건축물의 조감도, 교량 등의 모양을 나타낼 때 주로 사용하는 투상법은?

① 정투상법                    ② 사투상법
③ 전개도법                    ④ 등각투상법
⑤ 투시투상법

**06** 구상도에 대한 설명으로 옳은 것은?

① 기계나 구조물의 전체 조립 상태를 나타낸 도면이다.
② 물체의 일부분을 확대하여 상세하게 나타낸 도면이다.
③ 물체를 구성하는 각 부품의 모양과 구조를 상세하게 나타낸 도면이다.
④ 물체의 특징이나 크기 등을 제도 규칙에 따라 입체적으로 그린 그림이다.
⑤ 구상한 아이디어를 제도 용구 없이 자유롭고 빠르게 그림으로 표현하는 것이다.

**07** 발명의 특성으로만 짝지어진 것은?

① 창의성, 실천적, 환경적
② 창의성, 생산성, 모방성
③ 창의성, 실용성, 경제성
④ 실용적, 생산성, 모방성
⑤ 실용성, 경제성, 환경성

**08** 다음에서 설명하는 지식 재산권은?

> 저작자에게 주어진 창작물의 권리로 소설, 시, 사진, 그림, 음악, 영화 등이 포함된다. 존속 기간은 저작자 사망 후 70년이다.

① 특허권　　　　　② 저작권
③ 상표권　　　　　④ 디자인권
⑤ 실용신안권

**09** <보기>는 창업 과정을 나타낸 것이다. 과정을 순서대로 바르게 나열한 것은?

보기
ㄱ. 발명(구상)　　　ㄴ. 특허 정보 검색
ㄷ. 아이디어 구체화　ㄹ. 특허 출원
ㅁ. 투자 계획　　　　ㅂ. 사업 계획서 작성
ㅅ. 창업

① ㄱ ― ㄴ ― ㄷ ― ㄹ ― ㅁ ― ㅂ ― ㅅ
② ㄱ ― ㄹ ― ㅁ ― ㄴ ― ㄷ ― ㅂ ― ㅅ
③ ㄱ ― ㄷ ― ㄴ ― ㄹ ― ㅁ ― ㅂ ― ㅅ
④ ㄷ ― ㄹ ― ㄱ ― ㄴ ― ㅁ ― ㅂ ― ㅅ
⑤ ㄷ ― ㄹ ― ㅁ ― ㄱ ― ㄴ ― ㅂ ― ㅅ

**10** 산업 재산권에 해당하는 것은?

① 실용신안권
② 저작 인격권
③ 정보 재산권
④ 산업 저작권
⑤ 첨단 산업 재산권

**11** 다음 중 표준화의 기능으로 보기에 적절하지 않은 것은?

① 삶의 질 향상
② 호환성의 향상
③ 생산비의 증가
④ 제품 및 서비스의 개선
⑤ 소비자의 편의성 제고

**12** 창업 과정 중 일정한 서류와 요건을 갖추어 특허청에 발명품이 특허권을 받기에 적합한지 요청하는 과정은?

① 발명(구상)
② 투자 계획
③ 특허 출원
④ 특허 정보 검색
⑤ 사업 계획서 작성

**13** 전송 속도가 빠르고, 컴퓨터와 호환성이 높으며, 여러 채널의 방송이 가능한 디지털 텔레비전 방식은?

① ATSC(미국)　　　② DVB-T(유럽)
③ CDMA 방식　　　④ GSM 방식
⑤ WiBro 방식

**01** 창의 공학 설계 과정 중 아이디어 창출하기에 대한 설명으로 옳은 것은?

**중요**

**01** 창의 공학 설계 과정 중 아이디어 창출하기에 대한 설명으로 옳은 것은?

① 문제가 무엇인지를 분석하여 구체화하고 명료화하는 단계이다.

② 평가한 아이디어 중에서 최적의 해결책을 찾아 선정하는 단계이다.

③ 수렴적 사고 기법을 사용하여 아이디어를 다듬고 평가하는 단계이다.

④ 확산적 사고 기법을 사용하여 가능한 많은 아이디어를 찾는 단계이다.

⑤ 도면을 그리고 시제품 제작, 평가 등의 과정을 거쳐 아이디어를 구체화하는 단계이다.

**02** 확산적 사고 기법으로만 짝지어진 것은?

① PMI, 하이라이팅, 평가 행렬법

② 브레인스토밍, 마인드맵, 스캠퍼

③ 스캠퍼, PMI, 하이라이팅, 평가 행렬법

④ 브레인스토밍, 하이라이팅, 평가 행렬법

⑤ 마인드맵, PMI, 하이라이팅, 평가 행렬법

**03** 제도용지에 대한 설명으로 바르지 <u>않은</u> 것은?

① A0는 약 1m² 크기이다.

② A0 용지는 841×1189mm이다.

③ 가로와 세로의 비율이 $1 : \sqrt{2}$ 정도이다.

④ A0 용지로 A4 제도용지 8장을 만들 수 있다.

⑤ 도면의 크기에 따라 A0, A1, A2, A3, A4의 제도용지가 사용된다.

**[04~06]** <보기>의 도면을 보고 물음에 답하시오.

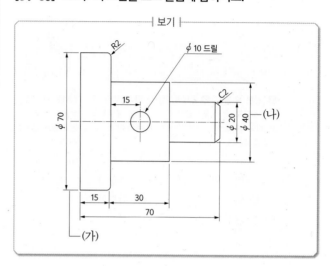

**04** '$\phi$10 드릴'이 의미하는 것은?

① 지름이 10cm인 드릴로 구멍을 뚫어라.

② 지름이 10mm인 드릴로 구멍을 뚫어라.

③ 반지름이 10cm인 드릴로 구멍을 뚫어라.

④ 반지름이 10mm인 드릴로 구멍을 뚫어라.

⑤ 모서리가 10mm인 드릴로 구멍을 뚫어라.

**05** (가)에 대한 설명으로 옳은 것은?

① 가는 실선으로 물체의 외형선을 연장하여 긋는다.

② 물체의 보이는 부분의 모양을 나타낼 때 사용한다.

③ 치수선 양 끝에 나타내며, 주로 화살표를 사용한다.

④ 외형선과 나란히 긋고, 양 끝에는 화살표를 붙인다.

⑤ 비스듬하게 선을 끌어내어 구멍 치수 등을 기입한다.

**06** (나)의 용도에 따른 이름은?

① 외형선　　　　　② 치수선

③ 지시선　　　　　④ 중심선

⑤ 치수 보조선

**07** <보기>와 같은 방법으로 그리는 투상법은?

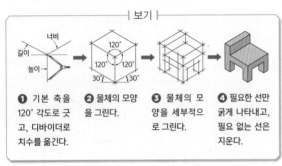

| 보기 |

❶ 기본 축을 120° 각도로 긋고, 디바이더로 치수를 옮긴다. ❷ 물체의 모양을 그린다. ❸ 물체의 모양을 세부적으로 그린다. ❹ 필요한 선만 굵게 나타내고, 필요 없는 선은 지운다.

① 정투상법
② 사투상법
③ 전개도법
④ 등각투상법
⑤ 투시투상법

**08** 정면이 실물과 같은 모양인 것이 특징인 투상법은?

① 정투상법
② 사투상법
③ 전개도법
④ 등각투상법
⑤ 투시투상법

**09** 아이디어 표현하기에서 구상도에 대한 설명으로 옳은 것은?

① 소점을 이용하여 물체의 원근감이 잘 나타나도록 그린다.
② 아이디어를 제도 용구 없이 자유롭고 빠르게 그림으로 표현하는 것이다.
③ 주로 등각투상도나 사투상도로 나타내며, 필요한 곳에는 치수를 기입한다.
④ 물체의 정면, 평면, 측면을 같은 기울기로 하나의 투상면 위에서 동시에 볼 수 있다.
⑤ 제품의 제작이 가능하도록 부품의 조립 상태, 각 부품의 크기 등을 자세하게 그린 도면이다.

**10** 다음에서 설명하고 있는 제작도는?

물체의 일부분이 작거나 복잡하여 도면에 나타내기 어려운 때는 그 부분만을 확대하여 상세하게 나타낸 도면이다.

① 조립도
② 부품도
③ 상세도
④ 설명도
⑤ 구상도

**11** 발명을 통한 기술적 문제 해결 방법의 단계를 바르게 나열한 것은?

① 문제 확인 → 계획 → 실행 → 평가
② 문제 확인 → 계획 → 평가 → 실행
③ 문제 확인 → 실행 → 계획 → 평가
④ 계획 → 실행 → 문제 확인 → 평가
⑤ 계획 → 문제 확인 → 실행 → 평가

**12** 다음에서 설명하고 있는 지식 재산권에 속하는 것은?

과학 기술의 급격한 발전과 사회 여건의 변화에 따라 종래의 지식 재산 법규의 보호 범주에 포함되지 않으나 경제 가치를 지닌 지적 창작물의 지적 재산에 주어지는 권리이다.

① 디자인권
② 실용신안권
③ 정보 재산권
④ 저작 인격권
⑤ 저작 재산권

**13** 지식 재산권 중 산업 재산권으로 보기 어려운 것은?

① 특허권
② 상표권
③ 디자인권
④ 실용신안권
⑤ 산업 저작권

**14** 산업 재산권인 실용신안권의 존속 기간은?

① 출원일로부터 10년
② 출원일로부터 15년
③ 출원일로부터 20년
④ 등록일로부터 10년
⑤ 등록일로부터 20년

**15** <보기>와 같은 서비스를 활용하기에 가장 적절한 창업 과정은?

① 창업
② 발명(구상)
③ 투자 계획
④ 특허 출원
⑤ 특허 정보 검색

**16** 특허, 실용신안, 디자인 및 상표 등에 관한 사무를 대리 또는 감정하는 일을 하는 사람은?

① 회계사
② 변리사
③ 변호사
④ 감별사
⑤ 설계사

**17** <보기>는 기술 연구 개발 과정을 나타낸 것이다. 그 순서를 바르게 나열한 것은?

┤ 보기 ├
ㄱ. 기초 연구
ㄴ. 제품 아이디어 탐색
ㄷ. 아이디어 평가
ㄹ. 제품 결정
ㅁ. 생산

① ㄱ → ㄴ → ㄷ → ㄹ → ㅁ
② ㄱ → ㄴ → ㄹ → ㄷ → ㅁ
③ ㄱ → ㄷ → ㄹ → ㄴ → ㅁ
④ ㄱ → ㄷ → ㄴ → ㄹ → ㅁ
⑤ ㄱ → ㄹ → ㄷ → ㄴ → ㅁ

**18** 다음에서 설명하는 표준화의 기능은?

> 통일되고 검증된 정보의 제공으로 소비자의 정보 탐색 비용 등이 줄어들고, 제품 이용의 편의성이 높아진다.

① 생산비 절감
② 호환성의 향상
③ 국제 교역의 활성화
④ 소비자의 편의성 제고
⑤ 제품 및 서비스의 개선

**19** 생활용품 만들기 활동 중 모둠 평가에 해당하는 질문이라고 볼 수 있는 것은?

① 재료 준비가 잘 되었는가?
② 수집한 자료를 활동에 반영하였는가?
③ 문제 해결 과정에서 창의성을 발휘하였는가?
④ 아이디어는 스케치로 적절하게 표현하였는가?
⑤ 주제 선정 및 표현 방법이 창의롭고, 잘 이루어졌는가?

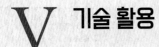

# V 기술 활용

## 핵심 정리

### 1. 지속 가능한 발전

**1 지속 가능한 발전 이해**

① 정의
- ㉠ 미래에 필요한 자원을 고갈하거나, 사람들의 능력을 저해하지 않으면서 사회가 발전하는 것
- ㉡ 기존의 생산 양식, 정치 형태, 소비 형태 그리고 삶의 양식 등이 조화를 이루어 변화하는 것을 의미

② 범위
- ㉠ **사회 문화 측면:** 모든 사람이 평등하고 행복한 삶을 살 수 있도록 하는 측면
- ㉡ **경제 측면:** 환경을 고려하면서 인류가 지속적으로 발전할 수 있도록 경제를 개발하는 측면
- ㉢ **환경 측면:** 현재 세대와 미래의 세대가 모두 쾌적하게 살 수 있는 환경을 만드는 측면

**2 지속 가능한 발전을 위한 기술**

① 사회·경제·환경 측면 고려
② 태양 에너지와 같이 고갈되지 않는 자연 에너지를 활용하며, 낭비적인 소비 형태를 지양하고, 기술적 가치만이 아닌 환경적 가치도 추구하는 기술 분야

### 2. 적정 기술

**1 적정 기술의 이해**

주로 낙후된 지역이나 소외된 계층을 배려하여 개발한다.

① **정의:** 첨단 기술보다는 특정 지역의 환경이나 경제·사회적 여건에 맞게 지속하여 생산과 소비를 할 수 있도록 만들어진 기술
② **사례:** 라이프스트로, Q 드럼, 자전거 세탁기, 페트병 전구, 항아리 냉장고 등

**2 적정 기술의 특징**

① 적정 기술의 조건
- ㉠ 적은 비용으로 활용
- ㉡ 가능하면 현지의 재료 사용
- ㉢ 현지의 기술과 노동력을 활용하여 일자리 창출
- ㉣ 적당한 제품의 크기, 간단한 사용 방법
- ㉤ 특정 분야의 지식이 없어도 이용 가능
- ㉥ 지역 주민 스스로 만들 수 있도록
- ㉦ 협동 작업을 이끌어내며 지역 사회 발전에 공헌
- ㉧ 분산된 재생 가능한 에너지 자원을 활용
- ㉨ 사용자가 해당 기술을 이해할 수 있도록
- ㉩ 상황에 맞게 변화할 수 있도록

## 🌱 교과서 활동 풀이

교과서 204쪽

**전통 가옥에 담긴 지속 가능한 발전 탐색**

다음의 빈칸에 한옥을 짓는 데 필요한 재료와 재활용이 가능한 재료에는 어떤 것들이 있는지 적고 발표해 보자.

**예시 답안**

| 재료 | 재활용이 가능한 재료 |
| --- | --- |
| · 나무와 돌, 흙 등 우리 주위 어디에서나 손쉽게 구할 수 있는 재료로 만들어졌다.<br>· 돌이나 벽돌, 흙은 열용량이 큰 재료로 낮에는 열을 흡수하고 밤에는 열을 복사시킴으로써 쾌적한 실내를 유지할 수 있다. | · 한옥은 나무, 돌, 흙 등 우리 주위에서 쉽게 얻을 수 있는 재료들로 지어졌다.<br>· 이 재료들은 어느 정도 시간이 흐르면 다시 자연으로 돌아가는 자연 친화적인 것으로 현대의 콘크리트와는 대조가 된다. |

**1** ( )은/는 미래 사회의 필요를 충족시킬 수 있는 가능성을 손상하지 않는 범위 내에서 현재 사회의 발전을 이루는 것을 의미한다.

**2** 지속 가능한 발전의 범위 중 경제 측면에 속하는 것은?

① 빈곤 퇴치
② 기후 변화
③ 농촌 개혁
④ 양성 평등
⑤ 문화 다양성

**3** 적정 기술은 주로 낙후된 지역이나 소외된 계층을 배려하여 많은 비용이 들이지 않고 누구나 쉽게 배우고 쓸 수 있도록 만든 기술이다.

( O , X )

**4** 물이 부족한 지역에서 구르는 통으로 물을 쉽게 운반할 수 있도록 적정 기술을 활용하여 만든 제품은?

① Q 드럼
② 페트병 전구
③ 라이프스트로
④ 항아리 냉장고
⑤ 자전거 세탁기

기초 다지기 문제

정답 및 해설 **142**쪽

**01** 다음에서 설명하는 지속 가능한 발전의 범위는?

> 인권, 평화, 안전, 양성 평등, 문화 다양성(문화 상호 간 이해), 건강과 에이즈, 시민 참여 의식 등

① 경제 측면
② 환경 측면
③ 지리 측면
④ 역사 측면
⑤ 사회 문화 측면

**02** 지속 가능한 발전을 위한 기술의 사례와 거리가 먼 것은?

① 바람의 힘을 사용하여 전기를 생산하였다.
② 수소 연료 전지 자동차로 완전 무공해 차량을 만들었다.
③ 태양광의 신재생 에너지 개발로 화석 연료 사용을 최소화하였다.
④ 편리하고 저렴한 교통비로 사용률이 높은 대중교통 시스템을 만들었다.
⑤ 물이 부족한 지역에서 물을 쉽게 운반할 수 있도록 구르는 물통을 만들었다.

**03** 수질 오염이 심각한 지역에서 제품에 내장된 필터로 수인성 박테리아와 바이러스를 걸러낼 수 있도록 적정 기술을 활용하여 만든 제품은?

① Q 드럼
② 페트병 전구
③ 라이프스트로
④ 항아리 냉장고
⑤ 자전거 세탁기

**04** <보기>는 적정 기술의 일반적인 조건이다. 올바른 것을 모두 고른 것은?

> ┤ 보기 ├
> ㄱ. 적은 비용으로 활용한다.
> ㄴ. 상황에 맞게 변할 수 있어야 한다.
> ㄷ. 가능하면 현지의 재료를 사용한다.
> ㄹ. 특정 분야의 지식이 없어도 이용할 수 있어야 한다.
> ㅁ. 현지의 기술과 노동력을 활용하여 일자리를 창출한다.

① ㄱ, ㄴ, ㄷ
② ㄱ, ㄷ, ㄹ
③ ㄱ, ㄴ, ㄷ, ㄹ
④ ㄱ, ㄷ, ㄹ, ㅁ
⑤ ㄱ, ㄴ, ㄷ, ㄹ, ㅁ

정답 및 해설 **143**쪽

**01** 다음 내용과 관련된 지속 가능한 발전의 범위는?

> 인류가 지속적으로 발전할 수 있도록 경제를 개발하는 지속 가능한 생산과 소비 등에 역점을 둔다.

① 역사 측면 ② 지리 측면
③ 경제 측면 ④ 환경 측면
⑤ 종교 측면

**02** <보기>에서 지속 가능한 발전의 범위 중 환경 측면에 해당되는 것을 <u>모두</u> 고른 것은?

> ┤ 보기 ├
> ㄱ. 에너지 ㄴ. 기후 변화
> ㄷ. 양성평등 ㄹ. 농촌 개혁

① ㄱ ② ㄱ, ㄴ
③ ㄱ, ㄴ, ㄷ ④ ㄱ, ㄴ, ㄹ
⑤ ㄱ, ㄴ, ㄷ, ㄹ

**03** 다음 내용과 가장 가까운 시스템은?

> 효율성과 저렴한 경제성을 목표로 대기 오염의 발생을 최소화하면서 많은 사람과 물자를 수송할 수 있는 시스템을 말한다.

① 에너지 생산 시스템
② 친환경 교통 시스템
③ 저효율 에너지 소비 시스템
④ 저탄소 배출을 위한 공업화 시스템
⑤ 생태 도시를 실천하기 위한 우주 환경 시스템

**04** <보기>의 적정 기술 제품과 설명을 바르게 연결하시오.

> ┤ 보기 ├
> • 적정 기술 제품
> ㄱ. Q 드럼 ㄴ. 페트병 전구
> ㄷ. 라이프스트로 ㄹ. 항아리 냉장고
> ㅁ. 자전거 세탁기
>
> • 적정 기술 제품 설명
> ① 물이 부족한 지역에서 구르는 통으로 물을 쉽게 운반할 수 있게 한 기술이다.
> ② 수질 오염이 심각한 지역에서 제품에 내장된 필터로 수인성 박테리아와 바이러스를 걸러낼 수 있다.
> ③ 잘라낸 드럼통에 체인을 연결해서 페달을 밟으면 드럼통이 돌아가 전기가 없는 지역에서도 세탁을 할 수 있다.
> ④ 페트병에 물과 약간의 표백제를 넣어 지붕에 구멍을 뚫고 고정하면 낮에 실내를 밝힐 수 있는 조명이 만들어진다.
> ⑤ 큰 항아리 안에 작은 항아리를 넣고 그 주위에 젖은 흙을 넣으면 수분이 증발 하면서 빼어가는 기화열 때문에 채소나 과일을 시원하고 신선하게 보관할 수 있게 된다.

_____

**05** 적정 기술의 조건으로 거리가 <u>먼</u> 것은?

① 적은 비용으로 활용한다.
② 최첨단 기술을 사용한다.
③ 가능하면 현지의 재료를 사용한다.
④ 현지의 기술과 노동력을 활용하여 일자리를 창출한다.
⑤ 기술을 사용하는 사람들이 해당 기술을 이해할 수 있어야 한다.

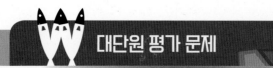

**01** 직업 세계의 변화에 따른 주요 필요 능력 중 비판적 사고에 대한 설명은?

① 스스로 영향력을 행사하여 끊임없이 자기 성장을 이루는 능력이다.
② 정보를 정확히 분석하고 평가하여 합리적으로 선택, 활용할 수 있는 능력이다.
③ 타인에게 공감하고 자신과 상대방의 의도를 정확히 파악하여 설득력 있게 소통하는 능력이다.
④ 새로운 시각에서 통찰력과 융통성 있는 사고와 발상으로 가치 있는 아이디어와 산출물을 생산하는 능력이다.
⑤ 문제 상황이 발생하였을 경우 창의적이고 논리적인 사고를 통하여 이를 올바르게 인식하고 적절히 해결하는 능력이다.

**02** <보기>에서 설명하는 미래 직업 세계의 유망 직업은?

┤ 보기 ├
• 기계 공학의 한 부분으로 자동화 공정 시스템을 연구·설계·개발한다.
• 컨설팅 회사, 발전 시설 및 광범위한 제조, 운송 산업 분야에서 일할 수 있다.

① 지능 로봇 연구 개발자
② 의료용 로봇 전문가
③ 메카트로닉스 공학 기술자
④ 공장 자동화 컨설턴트
⑤ 산업용 기계 설계 기술자

**03** 미래 직업 세계의 유망 직업 중 첨단 생명 기술 분야에 속하는 것은?

① 의료용 로봇 전문가
② 뇌기능 분석 전문가
③ 지능 로봇 연구 개발자
④ 무인 항공기 시스템 개발자
⑤ 빌딩 정보 모델링 디자이너

**04** <보기>에서 설명하고 있는 제조 현장의 안전사고 유형 및 예방에 속하는 작업은?

┤ 보기 ├
① 정비·수리·금형 교체 시에는 안전 블록을 설치 후 작업한다.
② 작업자 간 오조작을 하지 않도록 신호 체계를 정하여 작업한다.

> 방호 장치 미설치로 작업 중 금형에 끼이는 사고

① 절삭 작업
② 용접 작업
③ 전기 작업
④ 프레스 작업
⑤ 크레인 작업

**05** 건설 현장의 안전사고 중 철근 콘크리트 공사와 관련된 사고로 볼 수 있는 것은?

① 철골 위에서 떨어짐에 의한 사고
② 가설 공사가 무너짐에 의한 사고
③ 콘크리트 타설 작업 중 거푸집이 무너지는 사고
④ 지지 줄의 풀림과 끊어짐으로 인한 떨어짐 사고
⑤ 무너짐 방지 조치 미흡으로 인한 떨어짐과 무너짐 사고

자주 출제되는 문제

**06** 보행 중 안전사고 예방에 대한 설명으로 옳은 것은?

① 음악을 듣거나 전화 통화를 하면서 걷는다.
② 횡단보도에서는 녹색 신호에 왼쪽으로 건넌다.
③ 길이 미끄러울 때는 차로부터 가능히 가까이 걷는다.
④ 주차된 차량 사이 또는 차량 앞으로 지나갈 때 사고 위험이 높으므로 천천히 걷는다.
⑤ 자동차가 회전할 때 내륜차로 인해 사고가 발생할 수 없으므로 차도나 길모퉁이에 내려선다.

**07** <보기>는 자전거 안전사고를 예방하기 위한 예방 조치를 나타낸 것이다. 올바른 것을 모두 고른 것은?

┤ 보기 ├
ㄱ. 자전거를 탈 때는 안전모를 반드시 착용한다.
ㄴ. 둘이 함께 타거나 뒤에 서서 타는 것은 안전하다.
ㄷ. 골목길에서 큰길로 나올 때에는 멈춰 서서 전후좌우를 살핀다.
ㄹ. 방향을 바꾸거나 멈출 때는 수신호로 갈 방향을 알려 준다.
ㅁ. 자전거를 타고 횡단보도를 건널 때는 좌우를 살피고 서행한다.

① ㄱ, ㄴ, ㄹ
② ㄱ, ㄷ, ㄹ
③ ㄴ, ㄷ, ㄹ
④ ㄴ, ㄹ, ㅁ
⑤ ㄷ, ㄹ, ㅁ

틀리기 쉬운 문제

**08** 자동차 사고 중 운전자의 부주의로 인한 사고로만 짝지어진 것은?

① 불법 유턴, 차선 위반, 안전거리 미확보
② 교통안전 시설의 미비, 장마철의 도로 낙석
③ 날씨 상태, 불합리한 도로 구조 및 노면 상태
④ 제동 장치, 조향 장치, 타이어 등의 정비 불량
⑤ 안전띠 미착용, 불합리한 도로 구조 및 노면 상태

**09** 자동차의 점검 사항 중 정기 점검에 해당하는 것은?

① 배터리 상태 점검
② 브레이크 패드 상태 점검
③ 각종 스위치의 작동 상태 점검
④ 엔진 오일의 양과 오일 상태 점검
⑤ 타이어 공기압 및 마모 상태 점검

자주 출제되는 문제

**10** 창의 공학 설계 과정 중 다음과 같은 과정이 이루어지는 단계는?

브레인스토밍, 마인드맵, 스캠퍼 등과 같은 확산적 사고 기법을 사용하여 가능한 많은 아이디어를 찾는 단계이다.

① 문제 인식
② 아이디어 창출
③ 아이디어 평가
④ 아이디어 선정
⑤ 아이디어 구체화

**11** 제작 도면에서 "R2"가 의미하는 것은?

① 지름이 2mm이다.
② 반지름이 2mm이다.
③ 모따기가 2mm이다.
④ 판의 두께가 2mm이다.
⑤ 정사각형이 변이 2mm이다.

**12** 다음 물체를 정투상법을 이용하여 나타낼 때 평면도로 알맞은 것은?

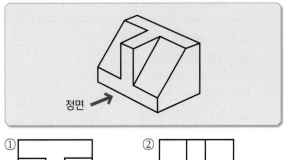

정면

①
②
③
④
⑤

**13** 다음과 같은 선이 도면에서 사용되는 용도로 알맞은 것은?

$$-------\ -\ -\ -------$$

① 도형의 중심을 표시할 때 사용한다.
② 물체의 보이는 부분을 표시할 때 사용한다.
③ 물체의 움직임을 가상하여 표시할 때 사용한다.
④ 가공법, 기호 등을 표시하려고 선을 끌어낼 때 사용한다.
⑤ 물체의 부분 생략 또는 단면의 경계를 표시할 때 사용한다.

**14** <보기>에서 설명하고 있는 물체를 도면에 나타내는 방법은?

┤ 보기 ├

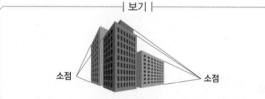

소점 　　　　　　 소점

• 물체를 사람의 눈에 보이는 대로 그리는 투상법이다.
• 소점을 이용하여 원근감이 잘 나타나도록 그린다.
• 조감도, 교량 등의 모양을 나타낼 때 주로 쓰인다.

① 전개도 　　　　　　 ② 사투상도
③ 정투상도 　　　　　　 ④ 투시투상도
⑤ 등각투상도

**15** 다음 중 발명을 통한 기술적 문제 해결 방법 중 계획 단계에 해당하는 것은?

① 최적의 대안 실행
② 문제 해결 과정과 결과 평가
③ 문제는 구체적으로 무엇인가?
④ 개선해야 할 사항은 무엇인가?
⑤ 문제 해결을 위한 아이디어 수집

**16** 지식 재산권에 대한 설명으로 알맞지 **않은** 것은?

① 저작권에는 소설, 시, 그림, 음악 등이 포함된다.
② 인간의 창작물을 보호하기 위하여 부여하는 권리이다.
③ 지적·정신적 활동의 성과로 얻어진 무형의 재능에 대한 권리이다.
④ 산업 재산권에는 특허권, 정보 재산권, 디자인권, 상표권이 포함된다.
⑤ 지식 재산권은 크게 산업 재산권, 저작권, 신지식 재산권으로 구분한다.

**17** 특허 출원 절차에 대한 설명으로 **잘못된** 것은?

① 심사를 통과한 발명을 특허권으로 등록한다.
② 특허청에 등록 수수료를 내면 특허권을 취득하게 된다.
③ 심사관의 지적 내용에 따라 청구 사항 수정이 가능하다.
④ 심사관들이 출원된 발명을 권리로 인정할 수 있는지 심사한다.
⑤ 특허 출원 후 1년 9개월 후 기술 내용을 공개 특허 공보로 발간하여 알린다.

**18** <보기>에서 설명하는 기술 연구 개발 과정은?

┤ 보기 ├

• 특허와 표준화는 기술 연구 개발 과정의 모든 단계에서 필요에 따라 언제든지 이루어질 수 있다.
• 기술 및 비용, 기존 생산 설비를 고려한다.

① 생산 　　　　　　 ② 기초 연구
③ 제품 결정 　　　　　　 ④ 아이디어 평가
⑤ 제품 아이디어 탐색

**19** 생활용품 만들기 활동 중 다음에서 설명하는 단계는?

> 스마트 기기나 스마트폰을 들고 인터넷 강의를 시청하다 보면, 화면이 흔들려 집중하기 어려울 때가 있다.

① 문제 확인　　　　② 계획
③ 실행　　　　　　④ 협업하여 완성하기
⑤ 평가

**20** <보기>는 지속 가능한 발전을 위한 기술의 특징이다. 알맞은 것을 모두 고른 것은?

┤ 보기 ├
ㄱ. 빈곤을 구제한다.
ㄴ. 자연을 파괴하지 않는다.
ㄷ. 화석 에너지를 많이 활용한다.
ㄹ. 낭비적인 소비 형태를 지양한다.
ㅁ. 환경 가치보다 기술 가치를 좀 더 추구하는 기술이다.

① ㄱ, ㄴ, ㄷ　　　　② ㄱ, ㄴ, ㄹ
③ ㄱ, ㄴ, ㅁ　　　　④ ㄴ, ㄷ, ㅁ
⑤ ㄷ, ㄹ, ㅁ

**21** <보기>는 적정 기술의 일반적인 조건이다. 알맞은 것을 모두 고른 것은?

┤ 보기 ├
ㄱ. 적은 비용으로 활용한다.
ㄴ. 사용 방법이 복잡해야 한다.
ㄷ. 지역 주민 스스로 만들 수 있어야 한다.
ㄹ. 특정 분야의 지식이 있어야 이용할 수 있다.
ㅁ. 어떤 상황에서도 기술의 형태가 변할 수 없다.

① ㄱ, ㄴ　　② ㄱ, ㄷ　　③ ㄱ, ㅁ
④ ㄷ, ㄹ　　⑤ ㄴ, ㅁ

### 서술형 문제

**22** 직업 세계의 변화에 따른 주요 필요 능력을 서술하시오.

**23** 자동차의 안전한 운행을 위해 지켜야 할 점을 다섯 가지 이상 서술하시오.

**24** 물체를 나타내는 방법과 특징을 서술하시오.

**25** 우리 생활 속에서 표준화가 적용되고 있는 예를 세 가지 이상 나열하시오.

**26** 적정 기술을 적용한 제품과 용도를 서술하시오.

## 융합 논술형 문제

다음 사진의 한옥을 짓는 데 필요한 재료와 재활용이 가능한
재료는 어떤 것들이 있는지 서술하시오.

정답 및 해설

# I 인간 발달과 가족

## ❶ 인간 발달

01 ③   02 친밀감    03 ②   04 ①   05 배우자     06 ④
07 ②   08 ③   09 ③   10 ②   11 ③   12 ④

**01** 사랑은 경험과 노력을 통해 성장하고 지속되는 감정이다.

**02** 친밀감은 서로 매우 친하고 가깝게 느끼는 감정이다.

**03** 결혼의 개인적 동기에는 사랑의 실현, 성적 욕구 충족, 정서적 · 경제적 안정, 성인 신분 획득 등이 있다.

**04** 부모로부터 독립하여 자신과 가족을 부양할 수 있는 준비가 되어 있어야 한다.

**05** 배우자의 선택은 가족 형성의 첫 단계라 할 수 있다.

**06** 이성 교제의 기능에는 인격의 기능, 오락의 기능, 사회화의 기능, 배우자 선택의 기능, 이성에 대한 적응 기능 등이 있다.

**07** 상대방의 사회적 지위나 부모의 경제적 조건보다 부모로부터 정서적 · 경제적으로 자립하였는지가 중요하다.

**08** 현대 사회는 일 · 가정 양립의 어려움과 가치관의 변화 등으로 인해 부모됨에 따른 부담과 책임이 커졌다.

**09** 부모가 되기 위해서는 신체적, 정신 · 정서적, 경제적, 사회적 준비가 필요하다.

**10** 빈혈, 간염, 풍진, 성병 등의 검사를 받아 임신을 하기에 건강한 몸 상태인지 점검해야 한다.

**11** 태반에 관한 설명이다.

**12** 만출기에 태아 머리가 산도로 내려오고, 뒤쪽으로 기울어지면서 외부로 나온다.

01 ②   02 ④   03 ②   04 ③   05 ⑤   06 ④   07 ①   08 ⑤
09 ②   10 ③   11 ④   12 ⑤

**01** 스턴버그는 친밀감, 열정, 헌신의 3가지 요소를 다양하게 종합하여 7가지 사랑의 형태를 분류하였다.

> **| 오답 뛰어넘기 |** ① 얼빠진 사랑은 열정과 헌신으로 구성된다. ③ 친밀감만 있는 사랑은 좋아함이다. ④ 우애적 사랑은 친밀감과 헌신으로 구성된다. ⑤ 성숙한 사랑은 친밀감, 열정, 헌신이 조화를 이룬 사랑이다.

**02** • sex: 선천적인 남성, 여성의 구별
　• gender: 사회 · 문화적으로 학습, 인지된 성
　• sexuality: 성적 존재로서 성에 대한 믿음, 가치, 행동

**03** 친밀감이나 고정 관념으로 상대방의 의견을 자의적으로 해석하지 않도록 주의해야 한다.

**04** 만 18세 이상인 경우 부모의 동의가 없어도 결혼할 수 있다. 이 외에 법적으로 결혼이 성립하기 위해서는 가까운 혈족이나 인척 사이에는 결혼을 하지 못한다.

**05** 외로움으로부터의 도피는 바람직하지 못한 결혼이다.

**06** 근접성, 매력, 사회적 배경, 의견 합치, 상호 보완성, 결혼 준비 상태의 여과망을 거쳐 배우자를 선택한다.

**07** 자녀에게 무관심한 태도를 보이므로 방임적 부모에 해당한다.

**08** 일 · 가정 양립의 어려움, 가치관의 변화, 부모 역할에 대한 부담감 등이 부모됨을 망설이게 하는 요인으로 작용한다.

**09** 부모가 과잉 보호적(익애적) 양육 태도를 가지면 자녀를 지나치게 걱정하고 보호하며 사소한 일에도 근심하기 때문에 자녀는 정서적 성숙이 느리고 의존적이다.

> **| 오답 뛰어넘기 |** ㄴ. 민주적 양육 태도, ㄹ. 방임적 양육 태도에 해당한다.

**10** 임신 5개월부터 태동을 느끼며 배가 불러오면서 요통이 생길 수 있다.

**11** 임신 초기에는 유산의 위험이 높으므로 심한 운동이나 힘든 일은 피하는 게 좋다. 또한 태아는 자극의 일부를 기억할 수 있으므로 태교, 태담을 하는 것이 좋다.

**12** 무리하지 않는 범위 내에서 가벼운 체조를 통해 몸의 회복을 돕는다.

01 ⑤　02 ③　03 ④　04 ③　05 ①　06 ㉠ 뇌, ㉡ 놀이
07 ①　08 ②　09 ①　10 ②　11 ㉠ 성공, ㉡ 근면성
12 ⑤

**01** 자녀를 둔 맞벌이 부부가 급증하면서 가족 구성원과 함께 하는 시간이 줄어들고 있다.

**02** 신생아의 피부는 연약하므로 소변과 대변이 묻은 기저귀는 빨리 갈아 주고, 깨끗하게 닦아줘야 한다.

**03** ①, ③ 영아기, ② 유아기의 발달 특징이다. ⑤ 신생아는 사물을 거의 볼 수 없고 눈동자를 서로 다른 방향으로 움직여 사시처럼 보이기도 한다.

**04** 영아기는 목 가누기, 혼자 앉기, 기어서 이동하고 붙잡고 서기, 걷기, 뛰기 순으로 운동 기능이 발달한다.

**05** (가)는 대상 영속성, (나)는 애착에 관한 설명이다.

**07** 영아기는 제1성장 급등기로 일생을 통틀어 신체적 성장이 급격히 이루어지는 시기이다. 유아기는 영아기에 비해 신체적 성장 속도는 감소한다.

**08** 유아기에는 사용 어휘수가 급격히 늘어나고, 부사와 형용사 등을 사용하여 다양한 문장을 구사하게 된다. 또한 자기중심적 언어를 사용한다.

**09** 유아기에의 부모는 지켜야 할 규칙과 제한선을 알려주고, 그것을 지키지 못했을 때 자신의 행동에 책임을 지도록 교육하는 훈육자로서의 역할이 중요하다.

**10** 가상의 상황을 실제 상황으로 상징화하는 상징적 사고는 유아기에 나타난다.

**12** 현대 사회는 가족의 형태보다 가족의 관계를 더 중요시하므로 획일화된 가족의 전형성보다 가족 안에서 함께 살아가는 다양한 문화가 강조된다.

01 ①　02 ③　03 ②　04 ①, ⑤　　05 ③　06 ③　07 ④
08 ④　09 ④　10 ②　11 ②　12 ①

**01** 결과보다는 의도나 과정을 칭찬하는 것이 아버지 효과를 높이는 데 도움을 준다.

**02** 신생아는 후각과 함께 입술 주위의 감각이 가장 발달되어 있다.

> **ㅣ오답 뛰어넘기ㅣ** ① 가볍게 주먹을 쥐고 있다. ② 대천문은 24개월 이전에 닫히게 된다. ④ 물체를 볼 수 있는 초점거리는 20~25cm 정도로 사물을 거의 볼 수 없다. ⑤ 탯줄은 태어나서 6~8일 정도에 떨어진다.

**03** 신생아는 욕조에 넣기 전 머리를 감기고 몸의 위부터 아래로 씻겨준 후 뒤돌려 씻겨주는 것이 좋다.

**04** 신생아의 체중 감소 현상은 일시적인 현상이며, 약 10일 후면 정상으로 돌아온다.

**05** 그림은 모로 반사에 관한 것으로, 놀라면 양팔과 다리를 벌렸다가 금방 몸 안쪽으로 오므리는 반응이다.

**06** 출생 후 4주부터 24개월까지 시기는 영아기로 울음, 표정, 몸짓 등으로 의사 표현을 시작한다.

> **ㅣ오답 뛰어넘기ㅣ** ①, ②, ⑤는 유아기 발달에 관한 설명이다. ④는 아동기 발달에 대한 설명이다.

**07** 식품 중 알레르기 반응이 가장 적은 쌀미음으로 이유식을 시작하고, 그 다음에 다른 음식들을 먹인다.

**08** 유아기 인지 발달 중 사물이 살아 있다고 생각하는 물활론적 사고에 관한 그림이다.

**09** 유아기에는 또래와 놀이할 수 있는 환경과 풍부한 학습 경험을 제공하고 옳고 그름을 가르치는 훈육자로서의 역할이 중요하다.

> **ㅣ오답 뛰어넘기ㅣ** ㄱ. 배변 훈련은 영아기에 실시한다. ㄷ. 유아의 놀이는 신체 및 운동 기능과 인지, 사회, 정서적 발달에 도움을 주므로 다양한 놀이의 기회를 많이 제공해야 한다.

**10** (가) 보존 개념: 물체의 형태가 변하여도 양은 변하지 않는다는 것을 이해하는 능력이다. (나) 가역적 사고: 어떠한 변화가 일어난 상태에서 그 변화를 역으로 돌려 원래의 상태로 돌아갈 수 있다는 것을 아는 능력이다.

**11** 대화의 내용은 아동기에 대한 설명이다.

> | 오답 뛰어넘기 | ①, ③, ④는 영아기, ⑤는 유아기의 돌보기 방법에 해당한다.

**12** 건강한 가족 문화를 만들려면 개인적인 시간도 중요하지만, 가족과의 시간을 많이 가지면서 가족 가치관을 공유하는 것이 더욱 중요하다.

---

**01** 사랑을 구성하는 요소는 친밀감, 열정, 헌신이다. 이 세 가지 요소가 어떻게 구성되느냐에 따라 사랑의 유형이 다양하게 나타난다.

**02** 성 의식은 개인에게 내재되어 있는 성에 대한 신념과 태도를 의미하며, 위의 설명은 애정적 허용에 관한 설명이다.

**03** 결혼의 의무는 동거, 정조, 부양, 협조의 의무이다.

**04** 〈보기〉에서는 정신·정서적 성숙이 부족하다.

**05** 8촌 이내 혈족 간의 근친혼이 아니어야 하며, 중혼이 아니어야 한다.

> | 오답 파헤치기 | ㄴ. 남녀 모두 만 18세 이상이므로 결혼이 가능하다. ㄹ. 근친이 아니므로 결혼이 가능하다.

**06** ②, ③, ④, ⑤는 결혼에 대한 바람직하지 못한 동기이다.

**07** 이성 교제는 나와 다른 이성에 대한 적응의 기회가 될 수 있다.

**08** 자녀를 받아들이고 양육할 수 있는 정신·정서적 안정이 필요하다.

> | 오답 파헤치기 | ①, ③은 경제적 준비, ②는 신체적 준비, ④는 사회적 준비에 관한 설명이다.

**09** 민주적 양육 태도를 지닌 부모는 자녀의 자율성을 존중하고 자녀와 타협을 통해 문제를 해결한다.

> | 오답 파헤치기 | ①, ②는 권위주의적 부모, ④는 방임적 부모, ⑤는 과잉 보호적(익애적) 부모가 보이는 반응이다.

**10** 민주적 양육 태도를 지닌 부모의 자녀는 독립적이고 사회적 성취도가 높다.

> | 오답 파헤치기 | ① 익애적 부모는 자녀를 지나치게 걱정하고 보호한다. ② 방임적 부모는 자녀에게 무관심한 태도를 보인다. ③ 권위주의적 부모는 부모가 일방적으로 결정한다. ⑤ 부모의 양육 태도는 자녀의 성장을 도울 뿐만 아니라 태도, 가치관, 행동 등을 형성하는 데 영향을 미친다.

**11** 임신과 출산은 사회적으로는 사회 구성원 공급을 통한 가족 문화를 계승해 나가는 데 영향을 미치고 사회 유지 존속 및 발전에 기여한다.

**12** 콘돔에 관한 설명이다.

**13** 임신은 정자와 난자가 결합하여 수정란이 되고, 자궁 내벽에 착상하여 태아로 성장하는 전 과정을 의미한다.

**14** 유선의 발달로 유방이 커지고 유두의 크기가 커지며, 색이 짙어지는 경향을 보인다.

**15** 임신 9~10개월에 나타나는 변화이다.

**16** ③ 태반은 산소와 영양분을 태아에게 공급하고, 태아의 배설물을 모체로 전달한다.

> | 오답 파헤치기 | ① 자궁: 착상한 수정란이 태아로 자라는 곳이다. ② 양수: 태아가 자유롭게 움직일 수 있도록 하고 외부의 충격으로부터 태아를 보호한다. ④ 탯줄: 태아의 배꼽과 태반을 연결하는 끈이다. ⑤ 양막: 출생 때까지 태아를 보호하는 막으로 양수로 채워져 있다.

**17** 그림은 이란성 쌍둥이에 관한 것으로 2개의 난자가 각각 1개의 정자와 수정하고, 각각의 수정란이 별개의 태아로 발생한다.

**18** 배아기로 이 시기에 모체는 입덧을 하고 감정의 기복이 심해진다.

> | 오답 파헤치기 | ①, ⑤ 7~8개월, ③ 9~10개월, ④ 4개월에 나타나는 변화이다.

**19** 출산을 위해 태아가 아래로 내려가면서 배가 아래로 처지고 소변의 횟수가 늘어나며 태아의 움직임이 줄어들게 된다.

**20** 마지막 월경 시작일의 월에서 3을 빼거나 9를 더하고, 시작일에 7을 더해 계산을 한다.

**21** 그림은 출산 과정 중 개구기에 해당한다.

> | 오답 파헤치기 | ① 개구기에는 자궁 경부가 확장된다. ② 만출기에 진통이 가장 심하다. ③ 만출기에 나타나는 증상이다. ④ 후산기에 나타나는 증상이다.

**22** 출산에 임할 때에 수동적으로 병원에만 맡기지 않는다.

**23** 모유의 성분은 출산 후 기간에 따라 그 영양 성분이 달라 성장하는 아이에게 맞추어 변화한다.

**24** 신생아는 자는 동안 성장하기 때문에 편안한 상태에서 잠을 잘 수 있는 환경을 조성해 준다.

> | 오답 파헤치기 | ㄱ, ㄷ, ㅁ은 영아기 발달의 특징이다.

**25** 영아의 발달 속도는 일정하지 않고 개인차가 있어 영아의 기질과 발달 수준에 맞게 양육한다.

**26** 사용하는 어휘의 수가 급격히 늘어나고, 부사와 형용사 등을 사용하여 다양한 문장을 구사하게 된다.

**27** 다른 유아가 노는 것을 바라보며 시간을 보내는 것을 시작으로 나중에는 친구들과 함께 역할 분담 놀이를 한다.

**28** 타율적 도덕성이 발달하면서 인정받거나 칭찬받기 위해 규칙을 지키고, 옳고 그름을 판단하게 된다.

**29** 부모의 역할과 책임에는 자녀의 의식주 제공, 정서적 안정감 부여, 양육과 교육, 가치관 형성 등이 있다.
바람직한 부모가 되려면 부모의 역할을 성실히 이행하고, 자녀에 대한 책임을 다하려는 자세가 필요하다. 바람직한 부모는 자녀가 자신과 가족, 지역 사회와 관련된 문제에 직면했을 때 가장 좋은 방법으로 해결할 수 있도록 돕고, 자녀의 감정과 생각을 교류하여 서로 존중하는 관계를 형성한다.

**30** 태아는 어떤 자극의 일부를 기억할 수 있으므로 태교와 태담을 시작한다. 또한 엄마의 상태에 따라 태아의 발달 정도가 달라지므로, 항상 몸과 마음을 편안하게 유지하는 것이 중요하다.

**31** 생존 반사는 신생아의 생존에 필요한 것으로 유해한 자극에 대하여 보호 기능을 할 뿐만 아니라 기본적인 욕구를 충족하는 데 도움을 준다.
원시 반사는 신생아의 발달 정도를 평가할 수 있는데, 이러한 반사 행동이 출생 시 나타나지 않거나 수개월이 지나도 사라지지 않으면 신경 계통에 문제가 없는지 살펴보아야 한다.

**32** 항상 감사하는 마음으로 보살펴 드리고 조부모님의 생활 방식이나 여가 생활을 인정해 드려야 한다. 또한 집안일에 능력껏 참여할 수 있는 기회를 드리고 전화나 편지 등으로 지속적인 애정과 관심을 표현해야 한다.

## 융합 논술형 문제
25쪽

**[ 예시 답안 ]**

**01.** 부모와 자녀 사이에 대화와 소통을 어렵게 하는 원인으로는 세대 차이, 잘못된 의사소통 방법, 유대감의 약화 등을 들 수 있다. 부모 세대와 자녀 세대는 살아온 환경이 다르기 때문에 사용하는 말, 다른 사람을 대하는 태도, 사고방식, 가치관 등에서 차이를 느낀다. 또한 부모와 자녀가 서로의 생각 차이를 인정하지 않고 자신의 의견만 고집하는 것은 잘못된 의사소통 방법이다. 한편, 가족이 함께 보내는 시간이 줄어들면서 서로를 잘 이해하지 못해 유대감이 약화되기도 하는데, 이로 인해 서로에게 무관심해지고, 대화와 소통이 더 어려워질 수 있다.

**02.** 부모와 자녀 사이에 대화와 소통을 하려면 서로 존중하고 배려하는 자세가 필요하다. 부모와 자녀 사이라고 하더라도 서로를 하나의 인격체로 존중하고, 상대방을 먼저 배려하는 마음을 지녀야 한다. 또한 세대 차이를 인정하는 자세도 필요하다. 가족이라 하더라도 생각이나 원하는 것 등이 서로 다를 수 있다는 점을 인정할 때 서로 조금씩 양보하고 타협할 수 있다. 그리고 서로 처지를 바꾸어 생각해 보는 역지사지의 자세도 중요하다. 부모와 자녀는 서로를 이해하기 위해 상대방의 처지에서 생각해 보려고 노력해야 한다.

# Ⅱ 가정생활과 안전

## ❶ 가정생활

01 ②   02 ③   03 발효      04 ④   05 ④   06 ②   07 ③
08 ①   09 ③, ⑤      10 ①   11 ①   12 ④

01 한식은 크게 주식과 부식으로 나눌 수 있다.

02 구절판에 대한 설명이다.

03 한식은 곡류, 채소류, 콩류, 어육류 등 다양한 식품 섭취가 가능할 뿐 아니라 구이, 찜, 데치기 등 담백한 조리법을 사용하여 동물성 지방의 사용이 적고 김치, 장류 및 젓갈류 등의 발효 식품이 발달하였다.

04 식생활 문화에 영향을 주는 요인으로는 지형, 기후, 토양, 종교, 식품 가공 기술 등이 있다.

05 그림은 토르티야를 나타낸 것이므로, 멕시코가 답이다.

06 전통 생활 양식인 좌식 생활에 알맞게 풍성한 치마와 통이 넉넉한 바지를 입었다.

07 오방색에는 황색, 청색, 백색, 적색, 흑색이 있다.

08 ①은 화장, ②는 고대, ③은 깃, ④는 동정, ⑤는 섶에 해당한다.

09 일본은 기모노, 인도는 사리와 도티, 독일은 드린딜과 레더호젠이 전통 의상이다.

10 지역별로 기후가 뚜렷하여 이에 따른 한옥의 구조와 소재가 달랐다.

11 기단은 한옥의 터를 반듯하게 다듬은 다음에 터보다 한 층 높게 쌓은 단으로, 이 위에 한옥과 기둥 등을 세운다.

12 스페인은 해양성 기후와 지중해성 기후를 가지며 공동 정원이 발달하였다.

01 ③   02 ②   03 ⑤   04 ①   05 ④   06 ④   07 ⑤   08 ①
09 ②   10 ③   11 ④   12 ②

01 한식은 다양한 식재료와 조리법을 사용하는 대표적인 슬로푸드이다.

02 열대 기후를 가진 나라는 기름을 이용한 조리법이 발달하였고 향신료를 많이 사용한다.

> | 오답 뛰어넘기 | ①, ④는 온대 기후, ③, ⑤는 한대 기후를 가진 나라에 관한 설명이다.

03 그림은 파스타를 나타낸 것이므로, 이탈리아가 답이다.

> | 오답 뛰어넘기 | 독일은 슈바인학센, 중국은 북경오리, 터키는 케밥, 멕시코는 토르티야가 대표적인 음식이다.

04 그림은 신선로로, 서울의 향토 음식이다. 서울은 전국 각지의 식품이 모두 모이는 곳으로, 궁중 음식이 발달하였다.

05 한복은 품이 넉넉하여 어떤 체형이든 구애받지 않고 입을 수 있는 장점이 있다.

06 ①은 허리, ②는 큰사폭, ③은 작은사폭, ④는 마루폭, ⑤는 바짓부리에 해당한다.

07 친척이나 가족이 돌아가셨을 때 입는 의복을 굴건제복이라고 하였다. 사모관대는 관복에 사모라는 뜻으로, 혼례 때 입는 신랑의 의복이다.

08 (가)는 네덜란드의 타이트 랩, (나)는 베트남의 아오자이와 논(모자)을 나타낸 그림이다.

09 네덜란드의 의복에는 타이트 랩, 훌(모자), 크롬펜(나막신)이 있다.

10 지역별 기후에 따라 구조에 차이가 있다.

> | 오답 뛰어넘기 | ① 한옥의 구조는 단층이다. ② 중부 지방은 ㄱ자 구조이다. ④ 남부 지방은 홑집으로 ㅡ자 구조이며 마루가 발달했다. ⑤ 북부 지방은 겹집으로 지붕이 낮다.

11 처마의 적절한 길이와 경사각은 일조와 채광을 조절하는 데 도움을 준다.

12 그림은 중국의 토루이다. 중국은 지역과 민족에 따른 주거 문화

가 형성되었다.

| 오답 뛰어넘기 | ①은 몽골, ③은 알래스카, ④는 베트남, ⑤는 터키의 주생활 문화에 대한 설명이다.

## ❷ 가족 안전

### 기초 다지기 문제　　　　　　　　36~37쪽

01 ③　02 ②　03 ⑤　04 ㉠ 청소년, ㉡ 신변　05 ③
06 ②　07 ④　08 ⑤　09 ④　10 ③　11 ㉠ 유대, ㉡ 탄력성

**01** 일상생활 중 가정이나 학교 등에서 발생하는 안전사고를 생활 안전사고라고 한다.

**02** 유아기에 발생할 수 있는 생활 안전사고이다.

**03** 하임리히법은 한 손으로 영아의 턱과 가슴을 받친 자세에서 영아의 어깨뼈 사이를 5회 정도 두드려 내뱉게 하는 방법이다.

**05** 아동 학대는 시간이 흐를수록 피해 정도가 커질 수 있다.

**06** ㄱ,ㄷ은 가족의 예방 및 대처 방법, ㄴ,ㄹ은 사회적 예방 및 대처 방법에 해당한다.

**07** 옷을 갈아입거나 목욕하지 말고 24시간 이내 병원 진료를 받는다.

**08** 가족원의 요구를 무조건 맞춰주는 것은 바람직한 예방 방법이 아니다.

**09** 노년기는 사회 활동이 줄어 정서적으로 고립되기 쉽고, 신체 건강이 약해져 돌보는 사람에 대한 의존도가 커지는 시기이다.

**10** 가족 문제 중 우울증에 관한 설명이다.

### 실력 쌓기 문제　　　　　　　　38~39쪽

01 ⑤　02 ①　03 ③　04 ④　05 ①　06 ②　07 ⑤　08 ③
09 ⑤　10 ⑤　11 ④　12 ②

**01** 가정에서의 생활 안전사고는 사고가 발생하기 전에 예방할 수 있으며, 사고에 따라 대처 요령을 미리 습득하여 대처함으로써 피해를 줄일 수 있다.

**02** 영아기가 갖는 특징에 대한 설명이다.

| 오답 뛰어넘기 | ②는 운동 신경이 발달하여 신체 활동과 실외 활동이 늘어난다. ③은 초등학교에 입학하여 부모와 떨어져 생활하는 시간이 길어지는 동시에 여전히 부모의 돌봄을 많이 필요로 하는 시기이다. ④는 성에 대한 호기심이 크고 또래 동조 성향이 강하며, 부모로부터 독립하려는 의지가 강한 시기이다. ⑤는 부부 관계에 적응하고 부모 역할을 수행하여 일과 가정을 균형 있게 양립해야 하는 시기이다.

**03** 아기를 엎드려 재울 경우 사고 위험이 3배 이상 증가한다.

| 오답 뛰어넘기 | ① 표면이 딱딱한 침구를 사용한다. ② 임신 중 또는 출산 후 어머니가 담배를 피울 경우 아기의 돌연사 증후군의 위험이 3~5배 정도 높아진다. ④ 모유나 분유를 먹일 때는 반드시 안아서 먹이고, 누운 채로 먹이거나 혼자 먹게 하지 않는다. ⑤ 부모와 아기가 한 방에서 잘 때에는 각자 다른 침대를 사용하는 것이 좋다.

**04** 그림과 설명은 하임리히법에 해당한다.

**05** 아동 학대의 원인으로는 방임 행위, 자녀에 대한 비현실적인 기대, 훈육을 이유로 체벌하는 문화, 빈곤과 실업 등의 가족 문제 등을 들 수 있다.

**06** 데이트 폭력을 당했을 때에는 그냥 넘어가면 더욱 큰 피해를 볼 수 있으므로 피해를 입은 즉시 시간과 장소, 사진과 동영상 등을 남겨 두었다가 경찰에 신고한다.

**07** 가정 폭력을 예방하기 위해 부정적인 감정을 긍정적이고 자연스럽게 표현하는 방법을 배워야 한다.

**08** 노인 학대를 예방하기 위해 경제력을 유지하고 부양을 이유로 자녀에게 모든 재산을 상속하지 않는다.

**09** 가족 문제를 극복하는 과정에서 가족원간의 결속력이 강화되기도 한다.

| 오답 뛰어넘기 | ① 가족 문제는 예기치 않은 문제도 있지만, 가족생활 주기별로 나타나는 변화와 같이 예측 가능한 문제도 있다. ② 가족 문제의 영향은 개인에게 국한되는 것이 아니라 가족, 사회로 연결된다. ③ 시간이 지나도 해결되지 않는 문제들이 많이 있다. ④ 시련과 역경을 헤쳐 나갈 수 있는 힘을 길러 건강한 가족으로 회복하기 위해 노력해야 한다.

**10** 가족 해체 중 가족원의 죽음으로 가족에게 미치는 영향에 대한 설명이다.

**11** 외상 후 장애에 대한 복지 서비스에는 가족 상담과 교육 및 문화, 학습 지원, 주거 개선, 취업 교육 알선 등이 있다.

**12** 가족 회복 탄력성에 관한 설명이다.

---

## 대단원 평가 문제
40~44쪽

**01** ⑤　**02** ④　**03** ④　**04** ③　**05** ②　**06** ④　**07** ③　**08** ⑤

**09** ③　**10** ②　**11** ⑤　**12** ③　**13** ③　**14** ③　**15** ①　**16** ④

**17** ②　**18** ④　**19** ②　**20** ③　**21** ④　**22** ⑤　**23** ④　**24** ①

**25** ④　**26** ④　**27** ③　**28** ⑤

[ 서술형 문제 ] 29~32 해설 참조

---

**01** 그림은 어복쟁반으로, 평안도의 향토 음식이다. 평안도 음식은 심심하고 맵지 않은 것이 특징이다.

> | 오답 파헤치기 | ①은 황해도, ②는 함경도, ③은 제주도, ④는 강원도의 향토 음식에 대한 설명이다.

**02** 터키는 케밥, 인도는 카레, 베트남은 쌀국수, 알래스카는 마딱고기가 대표적인 음식이다.

**03** 인도는 넓은 국토와 다양한 기후를 가지고 있으며, 종교가 식생활에 미치는 영향이 크다.

> | 오답 파헤치기 | ①은 터키, ②, ③은 독일, ⑤는 중국의 식생활 문화에 대한 설명이다.

**04** 베트남은 열대성 기후로 쌀국수, 월남쌈, 커피 등이 대표적인 음식이다.

> | 오답 파헤치기 | ㄱ, ㄹ은 프랑스의 식생활 문화에 대한 설명이다.

**05** 그림은 중국의 북경오리로, 중국은 소수 민족마다 식문화가 다르다.

> | 오답 파헤치기 | ①은 일본, ③은 터키, ④는 독일, ⑤는 멕시코의 식생활 문화의 특징이다.

**06** 현대 식생활에서 편의성을 추구하면서 소포장, 외식의 보편화 현상이 나타나고 있다. 이를 한식에 적용한 예로는 조리의 표준화, 즉석 한식 메뉴 개발, 한식의 올바른 외국어 표기법 등이 있다.

> | 오답 파헤치기 | 저열량 음식, 저염도 발효 식품 등장은 건강을, 한식 디저트 카페, 한식 테이블 세팅은 다양성을 한식에 적용한 것이다.

**07** 한복은 체형에 상관없이 편안하게 입도록 제작되었다.

**08** 한복의 미적 우수성에는 형태미, 색채미, 균형미가 있다.

> | 오답 파헤치기 | ① 한복은 직선과 곡선이 조화를 이뤄 부드럽고 우아하다. ② 상의와 하의가 따로 있다. ③ 옷감에 따라 실루엣과 드레이프성이 다르다. ④ 상의보다 하의가 풍성하게 보인다.

**09** 나열된 의복은 혼례 때 신부가 입는 것들이다. 남자는 사모관대, 각대, 목화를 착용하였다.

**10** 배래선, 버선코 등에서 곡선미가 나타난다.

**11** 알래스카는 추운 기후로 인해 순록의 털이나 바다표범의 가죽으로 만든 가볍고 따뜻한 옷을 착용하는 것이 특징이다.

> | 오답 파헤치기 | ㄱ은 인도, ㄴ은 일본의 의생활 문화 특징이다.

**12** 그림은 아랍권에서 착용하는 칸두라와 히잡이다. 아랍권은 이슬람교가 의생활에 미치는 영향이 크다.

> | 오답 파헤치기 | ①은 일본, ②는 중국, ④는 베트남, ⑤는 독일의 의생활 문화에 대한 설명이다.

**13** 한옥은 못을 쓰지 않고 나무를 깎아 끼워 연결하는 공포 기법으로 건축되었다.

**14** 한옥은 주변에서 구할 수 있는 자연 재료를 사용하여 현대 건축에서 생기는 공해가 거의 없다.

**15** 마당에 까는 백토는 내부로 들어오는 빛의 양을 조절하는 역할을 한다.

**16** 그림은 완자창을 나타낸 것이다.

**17** 지역별, 계절별로 기후의 차이가 뚜렷하게 나타나 한옥 구조와 공간 구성에 영향을 미친다.

> | 오답 파헤치기 | ① 남부형은 통풍에 유리한 一자형의 개방적 구조이다. ③ 제주형은 바람을 막기 위해 돌담집을 지었다. ④ 북부형은 ㅁ자형의 겹집이 대부분이다. ⑤ 울릉도형은 겨울의 폭설에 대비해 '우데기'라는 방설벽을 설치한다.

**18** 온돌은 바닥을 데우는 난방 방식이며, 마루는 공기를 통하게 하여 실내 습도를 조절하는 역할을 한다. 한옥의 지붕은 기와를 사용하여 곡선을 가지며, 창호의 종류에는 용자창, 정자창, 숫대살창, 완자창, 아자창이 있다.

**19** 일본의 주생활 문화에 대한 설명이다.

**20** (가)는 베트남의 수상 가옥, (나)는 터키의 카파도키아 지하 도시를 나타낸 그림이다.

**21** 열대 기후에 따른 주거 특성에 대한 설명이다.

> | 오답 파헤치기 | ① 건조 기후는 흙과 모래를 이용한 주거가 발달하였다. ② 온대 기후는 사계절의 변화에 적응하기 쉽게 흙, 돌, 목재 등 다양한 재료를 이용하였다. ③ 냉대 기후는 침엽수를 이용하고 작은 창문과 낮은 천장이 특징이다. ⑤ 해양성 기후는 통풍이 잘되고 습기를 방지할 수 있게 만드는 일본이 대표적이다.

**22** 신변 안전에 관한 설명이다. 신변 안전사고에는 아동 학대, 성폭력, 가정 폭력, 노인 학대 등이 있다.

> | 오답 파헤치기 | 영·유아 질식사는 생활 안전사고에 해당한다.

**23** 계단일 경우에는 아기를 유모차에서 꺼내 안고 유모차와 아기를 각각 따로 이동한다.

**24** 방임이란 보호자가 아동에게 위험한 환경에 처하게 하거나 아동에게 필요한 의식주, 의무 교육, 의료적 조치 등을 제공하지 않는 행위를 말한다.

> | 오답 파헤치기 | ② 보호자를 포함한 성인이 아동의 건강 또는 복지를 해치거나 정상적 발달을 저해할 수 있는 성적 폭력이나 가혹 행위를 하는 것 ③ 보호자를 포함한 성인이 아동에게 우발적인 사고가 아닌 상황에서 신체적 손상을 입히거나 또는 신체 손상을 입도록 허용한 모든 행위 ④ 보호자를 포함한 성인이 아동에게 행하는 언어적 모욕, 정서적 위협, 감금이나 억제, 기타 가학적인 행위 ⑤ 말로 괴롭히는 행위

**25** 기사는 정서적 학대와 관련된 것으로, 정서적 학대란 비난, 모욕, 위협, 협박 등의 언어 및 비언어적 행위를 통하여 정서적으로 고통을 주는 행위를 의미한다.

**26** 가족원의 죽음으로 인해 우울감, 상실과 허무 등을 느낄 수 있으므로 상담을 통해 도움을 받을 수 있다.

> | 오답 파헤치기 | ① 가족 해체에 따른 달라진 가족 관계를 인정한다. ② 치매 환자를 위한 요양 서비스를 제공받는다. ③ 비슷한 경험을 겪은 사람들로 구성된 자조 모임 등을 통해 느낌을 공유한다. ⑤ 혼자의 힘으로 극복하기 어려우므로 주변의 도움을 받는다.

**27** ㄴ, ㄷ, ㅁ은 노인성 치매가 가족에게 미치는 영향에 관한 설명이다.

> | 오답 파헤치기 | ㄱ, ㄹ은 외상 후 장애가 가족에게 미치는 영향에 대한 설명이다.

**28** 정부는 가족 관계 강화와 가족 지원 서비스를 제공해야 한다.

> | 오답 파헤치기 | ① 가족적 차원의 치유 방안이다. ②, ③, ④ 개인적 차원의 치유 방안이다.

**29** 쌀밥을 주식으로 하여 다양한 부식이 발달하였으며, 이를 한상에 차리는 공간 전개형 상차림이 특징이다. 또한 약과 음식의 근원은 하나라는 생각을 가져 약재를 음식에 사용하기도 하고 음식으로 건강을 지키고 질병을 예방한다고 생각하여 식생활을 중요시하였다.

**30** 개량 한옥, 황토와 숯을 이용해 단열 처리한 거실 바닥, 맷돌을 활용하여 만든 디딤석, 태양열 조명을 배치한 정원, 황토 벽돌로 마감한 거실 등이 있다.

**31** 가정 폭력을 막기 위해 가족은 건강한 가족 문화를 만들기 위해 노력해야 하며 양성평등한 가족 문화를 형성해야 한다. 사회는 폭력이 재발하지 않도록 가해자 폭력 재발 방지 교육을 실시하고, 피해자에게 피난처를 제공하며 경제적 자립을 도와주어야 한다. 또한 가족 폭력 예방을 위해 부부나 부모 교육을 실시해야 한다.

**32** 가족 해체의 원인은 사별과 이혼, 사고와 질병으로 인한 죽음 등이 있다. 이로 인한 영향으로 고인에 대한 원망, 심리·정서적 고통, 경제적 어려움, 청소년 비행 가능성 증가 등이 나타날 수 있다.

[ 예시 답안 ]

01. 한식은 영양소 구성 면에서 삶거나 찌는 방법을 주로 사용하여 저지방식이다. 식사 구성 면에서도 식물성과 동물성 식품의 비율이 각각 80%, 20%로 재료 혼합 비율이 균형적이며, 채소류와 버섯류, 해조류 등 식재료를 풍부하게 사용하고 설탕, 기름 등을 적게 사용하는 특징이 있다. 된장, 간장과 더불어 우리나라 대표 발효 식품인 김치는 열량이 낮고 식이 섬유가 풍부하여 비만을 예방하고, 혈액 내 콜레스테롤을 저하시키는 등 건강 증진 효과가 있다.

02. 진정한 한식의 세계화란 외국인들이 호기심으로 한식을 한번 먹어 보는 것이 아니라 스스로 한식을 먹고 즐기고 싶어 하는 마음을 갖도록 하는 것이다. 그러므로 외국인들의 입맛에 맞는 다양한 맛과 조리법을 개발하고 우리 전통 식생활 문화의 우수성을 적극적으로 세계에 알리기 위해 홍보 활동을 해야 한다. 구체적인 방법으로는 한식 메뉴의 외국어 표기법을 통일하고, 외국인의 입맛에 맞는 한식 메뉴를 개발하며, 이를 홍보하는 책자를 발간하는 등의 사업을 펼치는 것 등이 있다. 또한 외국인도 쉽게 따라 할 수 있는 표준 조리법을 만들고, 한식 전문 요리사를 양성하며 한식에서 사용되는 식재료의 산업을 육성해야 한다.

# Ⅲ 자원 관리와 자립

## ❶ 자원 관리

 **기초 다지기 문제**       50~51쪽

01 ⑤   02 ⑤   03 ④   04 ③   05 ②   06 ④   07 ①   08 ⑤
09 **경제적 자립**      10 ①    11 **지속 가능한 소비 생활**
12 ④

**01** 가정생활 복지 서비스에 관한 설명이다.

**02** 현대 사회는 가족 규모가 축소되고, 세대가 단순화되는 등의 현상으로 다양한 가족 문제가 발생하고 있기 때문에 개인의 힘만으로 해결하기 어려운 문제들이 있다.

**03** 국민연금 출산 크레딧에 관한 설명이다.

**04** 아이 돌봄 서비스는 맞벌이를 하거나 갑자기 아이를 돌볼 수 없는 일이 생겼을 때 육아 도우미가 방문하여 아이를 돌보는 서비스이다.

**05** 아동·청소년기 교육 지원을 위한 복지 서비스에는 방과후 보육료 지원, 고교 학비 지원, 스포츠 강좌 이용권 등이 있다.

**06** 전 생애 중 중·장년기에 지원받을 수 있는 복지 서비스이다.

**07** 노년기에 지원받을 수 있는 재가 급여에 관한 설명이다.

**08** 저소득층·한부모·장애인·다문화 가족은 다양한 가족을 위한 가정생활 복지 서비스를 받을 수 있다.

**10** 가정 경제가 안정적이라는 것은 매월 소득과 지출이 체계적으로 관리되고 있고, 소득에 비해 지출이 적을 때를 의미한다.

**12** 지속 가능한 소비란 자연이 가진 원래의 질과 상태를 유지할 수 있는 범위 안에서의 소비를 뜻한다.

**실력 쌓기 문제**       52~53쪽

01 ②   02 ④   03 ②   04 ③   05 ①   06 ②   07 ④   08 ②
09 ③   10 ②   11 ②   12 ③

**01** 가족 관계, 역할, 가치관 등의 변화에 대처할 수 있다.

> **| 오답 뛰어넘기 |** ① 새로운 정책 제안으로 자신과 이웃의 삶의 질을 높일 수 있다. ③ 가족 돌봄의 위기에 대처할 수 있다. ④ 저출산 및 고령화 현상으로 인한 가족 문제를 예방하고 해결할 수 있다. ⑤ 가족 규모의 축소로 인한 가족 문제를 예방하고 해결할 수 있다.

**02** 영·유아기에는 만 0~5세 보육료, 아이 돌봄 서비스, 육아 종합 지원 서비스 등을 받을 수 있다.

> **| 오답 뛰어넘기 |** 기초 연금 지원은 노년기, 행복 주택 공급은 청년기, 교육 정보화 지원은 아동·청소년기에 받을 수 있는 서비스이다.

**03** 공동 육아 나눔터 운영 서비스는 영·유아기에 활용할 수 있는 복지 서비스이다.

**04** 다문화 가족 지원 센터에서는 다문화 가족을 위한 교육, 상담, 한국어 교육, 일자리 알선, 통역이나 번역 등의 서비스를 통해 다문화 가족을 지원하고 있다.

**05** 가사·간병 방문 지원 서비스는 장애인 가족이 지원받을 수 있는 서비스이다.

**06** 경제적 자립을 위해서는 경제적 가치관, 경제 지식 및 경제적 기술을 익히는 것이 필요하며, 그것이 전제되었을 때 비로소 경제적 주체로서의 역할을 할 수 있다.

**07** 가족생활 주기에 따라 필요한 자금은 예측할 수 있는 위협 요소이다.

> **| 오답 뛰어넘기 |** 불의의 사고, 질병 등의 신변 안전사고 및 충동 소비, 과시 소비, 과소비 등의 무절제한 소비는 예측할 수 없는 위협 요소이다.

**08** (가) 환금성: 언제든지 쉽게 현금화할 수 있을까? (나) 안정성: 원금이 손실될 가능성이 있을까? (다) 수익성: 얼마만큼의 이익이 날까?

**09** (가) 환금성: 언제든지 쉽게 현금화할 수 있을까? (나) 안정성: 원금이 손실될 가능성이 있을까? (다) 수익성: 얼마만큼의 이익이 날까?

**10** 가족생활 주기에 따라 필요한 자금은 예금이나 투자 등으로 대비할 수 있다. 예금은 저축성 예금이나 요구불 예금 등이 있으며 투자에는 주식, 채권 등 유가 증권에 투자하는 방법, 부동산에 투자하는 방법 등이 있다.

**11** 용돈 관리장은 한꺼번에 몰아서 작성하려고 하면 잊어버리고 쓰지 못하는 경우가 발생하므로 그때그때 소비 내역을 정리하는 것이 좋다.

**12** 전체 사회를 생각하여 소비하는 태도를 기른다.

---

## ❷ 생애 설계

### 🐦 기초 다지기 문제       56~57쪽

01 ③  02 해설 참조  03 ③  04 ①  05 ①  06 ⑤  07 ⑤
08 스마트워크  09 ⑤  10 ②  11 ⑤  12 ⑤

---

**01** 가족의 가치에 따라 주체적으로 생활을 계획하고 운영하는 의도적 활동이자 노력이다.

**02** 가족 관계, 자녀 교육, 건강, 경제생활 등이 있다.

**03** 현재 나의 생활 점검, 가족의 목표 설정, 가족생활 설계의 순이다.

**04** 가정 형성기의 일반적 과제로는 부부로서의 적응, 협력 관계 수립, 임신 설계 등이 있다.

**05** 역할 갈등에 관한 설명이다.

**06** 가사 노동을 간단하게 해결하기 위해 외식을 하거나 세탁소 등의 사회적 서비스를 이용하게 되면서 지출이 증가한다.

**07** 일과 가정의 양립을 위해서는 가족 구성원과 직장, 사회가 모두 함께 노력해야 한다.

**09** 노년기에는 가족, 친구와의 친밀한 관계를 유지하고 봉사 활동 등을 통해 개인적 만족감을 찾는 것이 중요하다.

**10** 노년기에는 유전 요인에 의한 유동 지능이 후천적인 습득에 의한 결정 지능보다 큰 폭으로 감퇴한다.

**11** 가족은 내적, 외적 긴장의 해소로 안정감을 갖게 한다.

**12** 가족은 강력한 지지 체계로 자녀와의 친밀감을 통해 긴장을 해소하고, 자아 정체감과 자존감을 유지할 수 있다.

01 ② 02 ③ 03 ⑤ 04 ④ 05 ⑤ 06 ④ 07 ④ 08 ④
09 ③ 10 ③ 11 ③ 12 ⑤

**01** 우리 가족에게 필요한 구체적인 가족 목표를 설정한다.

**02** 가정생활 설계 시 고려해야 할 경제생활에 관한 설명이다.

**03** 역할 갈등의 해결을 위해서는 가사 노동의 분담, 가사 노동의 사회화, 일의 우선순위 결정, 효과적인 가정 관리 방법의 터득 등의 방법을 활용할 수 있다.

**04** 경제생활 문제를 해결하기 위한 방안에 해당한다.

> | 오답 뛰어넘기 | ② 육아 휴직, 아이 돌봄 서비스, 탄력적 근로 시간제, 출산 전후 휴가 제도 등이 있다. ③ 가사 노동의 분담, 가사 노동의 사회화, 일의 우선순위 결정, 효과적인 가정 관리 방법의 터득 등이 있다. ⑤ 양성평등한 성 역할 태도 확립, 의사소통 및 감정 표현의 기술 습득, 가족 구성원이 처한 상황을 배려, 서로의 역할 이해 등이 있다.

**05** 출산 육아 후 여성의 경력 단절을 막기 위해 시행하고 있는 제도에 관한 설명이다.

> | 오답 뛰어넘기 | ① 여성 근로자가 출산 시 산전·후를 통하여 90일의 유급 휴가를 사용할 수 있는 제도이다. ② 장시간 간호를 필요로 하는 자녀, 노부모, 배우자가 있는 근로자의 직장 생활과 가정생활의 조화를 도모하기 위해 도입된 제도이다. ③ 가족 친화 제도를 모범적으로 운영하고 있는 기업 및 공공 기관 등에 대하여 심사를 통해 인증을 부여하는 제도이다. ④ 배우자의 출산을 이유로 휴가를 청구하는 근로자에게 3일의 휴가를 부여하는 제도이다.

**06** 일·가정 양립을 실현하기 위한 가족 가치관을 형성하려면 양성평등한 성 역할 태도 확립, 의사소통 및 감정 표현의 기술 습득, 가족 구성원이 처한 상황 배려, 서로의 역할 이해 등의 노력이 필요하다.

**07** 노년기에는 손을 사용할 때의 정교성이 약화된다.

**08** 통합적 사고란 삶에 대한 통찰력, 감정 이입, 경험에 의한 직감 등을 의미한다. 노년기에는 풍부한 삶의 지혜와 실용 지능을 활용하여 통합적 사고가 가능하다.

> | 오답 뛰어넘기 | 선천적인 유동 지능은 감퇴하고, 후천적인 결정 지능은 오랫동안 유지된다.

**09** 노년기에는 오랫동안 사용해 온 물건이나 대상에 대한 애착이 강해진다.

**10** 유니버설 주거는 노인, 아동, 여성, 외국인 등 다양한 사용자를 배려하고, 인간의 전체적인 생애 주기를 수용하는 디자인이 적용된 주거이다.

**11** ㉠은 분노형, ㉡은 무장형에 관한 설명이다.

**12** 노후를 위한 경제적 준비에는 저축, 자녀의 생활비 지원, 생산 활동 참여 등의 개인적 방법과 연금 제도, 의료 보험, 소득 보장 서비스 등의 사회 제도를 활용한 방법이 있다.

> | 오답 뛰어넘기 | · 노후를 위한 개인적 준비: 신체 건강을 유지하기 위해 식사와 운동 등 예방 차원의 관리가 필요하다. 또한 가족, 친구와의 친밀한 관계를 유지하며 취미와 종교 등 지속적인 여가 활동을 즐긴다.
> · 노후를 위한 사회적 준비: 노인 스스로 취미와 여가 활동, 봉사 활동 등을 통해 개인적 만족감을 찾고 국가와 지역 사회는 노인 관련 돌봄 서비스를 제공한다.

01 ④ 02 ③ 03 ⑤ 04 ② 05 ③ 06 ② 07 ② 08 ④
09 ③ 10 ① 11 ② 12 ③ 13 ① 14 ② 15 ③ 16 ③
17 ⑤ 18 ② 19 ⑤ 20 ② 21 ② 22 ① 23 ③ 24 ②
25 ④ 26 ⑤ 27 ④ 28 ⑤
[ 서술형 문제 ] 29~32 해설 참조

**01** 가정생활 복지 서비스로 가족 구성원의 욕구를 충족시킴으로써 가족 돌봄의 위기를 극복할 수 있게 도와준다.

> | 오답 파헤치기 | ① 현대 사회는 세대가 단순화되고 있다. ② 현대 사회는 가족 규모가 축소되고 있다. ③ 가족 관계나 역할이 변화하고 있다. ⑤ 점차 다양해지는 가족 구성원의 욕구를 충족시키기 위해 필요하다.

**02** 출산 전후 휴가 제도, 육아 휴직 제도, 육아기 근로 시간 단축 제도, 배우자 출산 휴가 제도는 모성을 보호하고 육아를 지원하는 서비스이다.

> | 오답 파헤치기 | 재가 급여 제도, 장기 요양 급여 지원 제도는 노년기, 국가 장학금 지원 제도는 청년기, 생애 전환기 건강 진단 지원 제도는 중·장년기에 받을 수 있는 복지 서비스이다.

**03** WEE 클래스 상담은 위기 학생, 학교 부적응 학생에게 진단, 상담, 치유 프로그램을 제공하는 서비스이다.

**04** 기초 연금에 관한 설명이다.

**05** 다문화 가족에 관한 글이다.

**06** 다문화 가족을 위한 가정생활 복지 서비스에는 다문화 가족 지원 사업, 결혼 이민 여성 인턴 운영, 다문화 보육료 지원, 다문화 가족 방문 교육 서비스 등이 있다.

**07** 기초 연금은 생활이 어려운 어르신에게 안정적인 소득 기반을 제공하여 생활 안정을 지원하는 서비스이다.

**08** 경제적 기술이란 용돈 기입장 기록하기, 계산하기, 상품 선택하기, 저축하기 등 경제생활을 하기 위한 구체적이고 실제적인 수단을 의미한다.

**09** 개인의 경제적 자립은 가정을 안정된 재정 상태로 만들어 사회, 국가의 재정 상태에도 영향을 미치게 된다.

**10** 동조 소비 등과 같은 비합리적인 소비는 예측할 수 없는 위협 요소에 해당한다.

**11** 가정 형성기에 예측할 수 있는 위험 요소는 결혼 준비금, 주택 마련 자금이 있다.

**12** 피보험자와 기업주 또는 국가가 비용을 공동 부담한다.

**13** 사회 보험에는 산업 재해 보상 보험, 연금 보험, 건강 보험, 고용 보험이 있다.

**14** 고용 보험은 근로자가 실직할 때 생활 안정을 위해 일정 기간 동안 급여의 일부를 지급한다.

**15** 식품비, 의복비, 경조사비는 변동 지출에 해당된다.

**16** ㄴ, ㄷ, ㄹ은 예산 수립 시 저축에 대한 고려 사항이다.

**17** 분석 평가 단계는 수립한 예산에 맞도록 실행했는지 지출 결과를 분석하고 평가하는 과정이다.

**18** 과시 소비는 부를 과시하는 것을 의식하면서 행하는 소비를 의미한다.

**19** 개인과 가족의 끊임없는 소비 활동은 우리가 속한 사회와 환경에 지속적인 영향을 미치고 있다.

**20** 지속 가능한 소비는 현재뿐만 아니라 미래까지 생각하는 소비로 미래 세대의 욕구를 희생하지 않으면서 현재 세대의 욕구를 충족하는 소비를 의미한다.

**21** 녹색 소비란 소비자가 구매, 사용, 처리의 전 과정에서 자신의 소비 결과가 사회와 환경에 끼치는 영향까지 고려하는 소비이다.

**22** 로컬 소비는 식생활 분야에서 가장 활발하게 이루어지고 있으며, 지역에서 생산되는 식품을 소비하는 운동을 로컬 푸드 운동이라 한다.

**23** 프로슈머에 대한 설명이다. 파워 블로거가 추천한 제품을 구매하거나 신제품 개발에 의견을 제시하는 것 등이 사례에 해당한다.

**24** 노년기의 발달 과제이다.

**25** 가족 친화 제도를 모범적으로 운영하는 기업 및 공공 기관에 대하여 심사를 통해 인증을 부여하는 제도이다.

**26** 노년기에는 시력 감소, 근육 탄력성 저하, 균형 감각 둔화, 골밀도 저하로 인해 뼈가 부러지기 쉬우므로 적당한 운동으로 노화를 늦추고 건강을 유지해야 한다.

**27** 성공적 노화란 삶의 만족과 적응 수준이 높은 상태에 도달하는 것을 의미한다.

**28** 자학형은 인생의 목표를 달성하지 못하고 나이 들어감에 대해 후회하며 자신을 질책하는 유형이다.

**29** '어디에 저축할 것인가?', '얼마를 저축할 것인가?', '무엇을 위해 저축할 것인가?'를 고려해야 한다.

**30** 급식을 적당하게 담고, 남기지 않는다. 빈병과 캔은 분리수거한다. 학용품 등은 꼭 필요한 물품만 구매하여 이용한다. 어두운

곳에서는 고효율 전등을, 밝은 곳에서는 햇빛을 사용한다. 수도 꼭지는 적당한 수압으로 사용하여 낭비되는 물을 최소화한다. 쓰레기는 버리지 않는 습관을 갖는다.

**31** 양성평등한 성 역할 태도를 확립해 나가며 의사소통 및 감정 표현의 기술을 익힌다. 또한 가족 구성원이 처한 상황을 배려해야 하며 서로의 역할을 이해해야 한다.

**32** 노인 스스로 취미와 여가 활동, 봉사 활동 등을 통해 개인적 만족감을 찾고 국가와 지역 사회는 노인 관련 돌봄 서비스를 제공한다.

## 융합 논술형 문제
65쪽

[ 예시 답안 ]

01. 평균 수명의 연장으로 인해, 과거에는 거의 기대할 수 없었던 연장된 노년의 시기를 가지게 되었다. 따라서 길어진 노년기를 어떻게 보낼 것인가는 생애 발달 과정에서 매우 중요한 과제로 떠오르고 있다. 노년기를 어떻게 준비하느냐에 따라 외롭고 힘든 시기가 될 수도 있으며, 반대로 다양한 결실을 누리는 시기가 될 수도 있다. 노년기에 대한 준비는 짧은 시간 내에 이루어질 수 없는 것이기 때문에, 어린 시절부터 미리 준비를 해야 한다.

02. 일상생활을 하는 데 기능적으로 어려움이 없도록 하기 위해 적당한 운동과 식생활 관리, 생활 습관 등을 통해 미리 신체적·정신적 건강을 준비해야 한다. 그리고 생계를 걱정하는 불안한 노후가 되지 않도록 자신과 가족 그리고 사회에서 활동하는 데 필요한 비용을 준비해 두어야 한다. 또한 자원 봉사나 지역 사회 활동을 통하여 사회에 공헌하고 삶의 보람을 느낄 수 있는 사회 참여 준비가 필요하다. 생산적인 일을 통하여 사회에 공헌하고 삶에 활력을 얻을 수 있기 때문이다. 한편, 자칫 위축될 수 있는 노년기 사회관계를 건강하게 구축해 놓아야 하며 안락한 노후 생활을 위하여 자신에게 적합한 주거 환경의 재구성이 필요하다.

# Ⅳ 기술 시스템

## ❶ 기술의 발달

### 🐦 기초 다지기 문제
70쪽

**01** ⑤  **02** ③  **03** ①  **04** ⑤  **05** ②  **06** ⑤  **07** ①

**01** 수송 기술은 사람이나 물건을 한 곳에서 다른 곳으로 이동시키는 수단이나 활동이다.

**02** 손을 사용하여 옷감을 짜던 과거와는 달리 방직기로 옷감을 짜게 되면서 생산 속도가 빨라지고, 대량 생산도 가능하게 되었다.

**03** 3D 프린팅 기술은 연속적인 계층의 물질을 뿌리면서 3차원 물체를 만들어내는 제조 기술이다.

**04** 인공 지능과 기계와의 융합으로 다양한 기능을 갖춘 로봇이 개발되고 있으며, 기계가 스스로 학습하는 머신 딥 러닝 기술은 인공 지능의 시대를 촉진하고 있다.

**05** 정보 기술(또는 정보 통신 기술)은 컴퓨터 기술을 활용한 소프트웨어, 정보 통신, 정보 보안 및 인터넷 등을 통칭하는 말이다.

**06** 4차 산업의 융합 기술은 산업과 서비스 간의 융합을 넘어 경제, 산업 전 분야에 걸쳐 많은 변화를 주고 있다.

**07** 융합 기술은 의료, 건강, 안전, 에너지, 환경 문제 등 미래의 사회 문제를 해결할 수 있는 혁신 기술로 발전하고 있다.

### 🦊 실력 쌓기 문제
71쪽

**01** ②  **02** ③  **03** ④  **04** ③  **05** ④  **06** ①

**01** 기술의 분야에는 제조 기술, 건설 기술, 생명 기술, 수송 기술, 정보 통신 기술 등이 있다.

**02** 생명 기술은 생명체를 이용하여 인간에게 유용한 제품을 생산하는 수단이나 활동이다.

**03** 사물 인터넷은 인터넷으로 연결된 사물들이 데이터를 주고받아 스스로 분석하고 학습한 정보를 사용자에게 제공하거나 사용자가 이를 원격 조정할 수 있는 기술이다.

**04** 증기 기관의 힘으로 달리는 자동차는 1769년에 프랑스의 퀴뇨가 삼륜으로 처음 만들었으며, 19세기에 버스 등에 쓰이다가 가솔린 자동차의 출현으로 자취를 감추게 되었다.

**05** 최근의 첨단 기술은 산업 간의 융합으로 제조, 개발, 생산을 최적화한 시스템이 구축되었으며, 또한 산업 구조의 변화와 함께 기술의 융합으로 발전하고 있다.

**06** 양자 컴퓨터(quantum computer)는 얽힘이나 중첩 같은 양자 역학적인 현상을 이용하여 자료를 처리하는 계산 기계이다.

## ❷ 첨단 기술

 **기초 다지기 문제**        77~79쪽

01 ④   02 ①   03 ④   04 ②   05 ③   06 ②   07 ⑤   08 ②
09 ⑤   10 ⑤   11 ⑤   12 ④   13 ①   14 ④   15 ④   16 ③
17 ④   18 ⑤

**01** 최근에는 기계와 정보 통신 기술을 융합하여 컴퓨터, 로봇, 스마트 기기 등의 개발과 함께 메카트로닉스, 나노 기술, 3D 프린팅 등을 이용한 제조 기술로 발전하고 있다.

**02** 3D 프린팅은 시제품의 제작 비용 및 시간 절감, 다품종 소량 생산과 맞춤형 제품 제작 등에 효율적이다.

**03** 메카트로닉스는 기계(mechanics)와 전자(electronics)의 합성어이며, 나노 기술은 기존의 산업뿐만 아니라 의료, 생명, 에너지 등 다양한 분야에 폭넓게 적용되고 있다.

**04** 산업화로 도시 인구가 늘어나면서 도시의 토지 이용률을 높이고, 도심의 공동화 현상을 해결하고자 초고층 빌딩을 건설하게 되었다.

**05** 위성 측량 시스템(GNSS, Global Navigation Satellite Systems)은 인공위성을 이용해 물체의 3차원 위치를 측량하는 시스템이다.

**06** 신재생 에너지 교량은 교량 주변에 존재하는 신재생 에너지(조력, 태양광, 파력 등)를 활용하여 교량 시설에 에너지를 자가 공급하는 교량이다.

**07** 건물의 중간에 댐퍼 또는 추와 같은 장치를 통해 지진 에너지를 흡수하여 건물의 피해를 최소화하는 구조는 제진 구조이다.

**08** 친환경 건설 기술에는 모듈러 하우스, 에너지 제로 하우스 등이 있다.

**09** 유전자 재조합 기술은 한 생물의 특정 DNA를 다른 생물의 DNA에 삽입하여 재조합 DNA를 만들고, 이를 세포에 주입시켜 발현하는 기술이다.

**10** GMO(Genetically Modified Organism)는 생명체에 유용한 유전자와 다른 생명체의 유전자를 결합시켜 특정한 목적에 맞도록 유전자 일부를 변형하여 만든 생명체이다.

**11** 유전자 가위 기술은 유전체에서 원하는 부위의 DNA를 정교하게 잘라내는 기술이다.

**12** 딥 헬스(deep health)는 인간의 뇌처럼 스스로 학습하고 추론하는 기술로 컴퓨터 스스로 학습하여 의사보다 정확하게 질병을 판독한다.

**13** 전기 튜브로 사람이나 물건을 실은 객차를 전자기 가속기를 이용하여 공중 부양 상태로 나른다. 교통 체증이 없어 수송 시간을 줄일 수 있는 장점이 있다.

**14** ①은 극초음속 여객기, ②는 드론, ③은 우주 엘리베이터, ⑤는 태양광 무인 비행기에 대한 설명이다.

**15** 웨어러블 컴퓨터를 중심으로 가정, 사회, 학교 및 이동 수단 등 모든 분야에서 정보를 주고받게 되었고, 가상 현실 기술은 다양한 분야를 간접 체험할 수 있게 해 주었다.

**16** 사물 인터넷은 생활용품, 의료, 유통 산업, 스마트 홈, 스마트 자동차, 스마트 쇼핑 등에 이용되어 인간의 삶을 좀 더 윤택하게 해주고 있다.

**17** 클라우드는 많은 컴퓨터가 연결된 모양이 마치 '구름'과 같다고 하여 붙여진 이름으로, 최근에 네트워크 기반의 장치가 널리 보급되면서 개인 및 기업에서 클라우드 컴퓨팅 기술의 사용이 증가하고 있다.

**18** 빅 데이터의 특징은 3V로 요약하는 것이 일반적이다. 즉 데이터의 양(Volume), 데이터 생성 속도(Velocity), 형태의 다양성(Variety)을 의미한다. 최근에는 가치(Value)나 복잡성(Complexity)을 덧붙이기도 한다.

01 ⑤  02 ③  03 ①  04 ③  05 ④  06 ②  07 ⑤  08 ③
09 ②  10 ②  11 ⑤  12 ②  13 ①  14 ⑤  15 ⑤  16 ③
17 ⑤  18 ②  19 ④  20 ④  21 ⑤  22 ⑤  23 ④  24 ⑤

**01** 최근의 공장 자동화는 점차 무인 자동화 공장으로 발전하고 기계와 정보 통신 기술을 융합한 제조 기술로 발전하고 있다.

**02** 오늘날은 생체 모방, 학습 제어, 인공 지능 등의 기술과 소프트웨어가 적용된 지능형 로봇이 개발되고 있다.

> | 오답 뛰어넘기 | ①은 자동 제어 기계, ②, ④는 서비스 로봇, ⑤는 재난 재해 대응 로봇에 대한 설명이다.

**03** 나노 기술은 기존의 산업뿐만 아니라 의료, 생명, 에너지 등 다양한 분야에 폭넓게 적용되고 있다. 나노 에너지는 해수 담수화 등에 쓰인다.

**04** G 코드는 공작 기계에서 공구의 이동, 가공, 회전, 보정 등의 움직임을 제어하는 기능을 다루는 명령어이다.

**05** 나노 기술, 바이오 기술, 정보 통신 기술 등의 각 기술 분야가 서로 융합하여 컴퓨터, 로봇, 스마트 기기, 각종 센서류, 신소재 등을 개발하여 산업 전반에 걸쳐 편리한 생활이 가능하게 되었다.

**06** 초고층 빌딩 건설 기술에는 지능형 타워 크레인, 내풍·내진 설계, 고층 건물 시공 자동화 시스템, 거푸집 자동 상승 시스템, 위성 측량 시스템, 화재 대비 시공 등이 있다.

**07** 초장대 교량은 교각과 교각 사이의 거리가 사장교는 1,000m 이상, 현수교는 2,000m 이상인 교량을 말한다.

**08** 토목 기술의 이용은 규모가 크고 공공성과 공익성을 띠는 구조물을 건설하여 산업의 발달에 기여하였으며, 편리한 생활이 가능해졌다.

> | 오답 뛰어넘기 | 건축 기술을 이용한 건축물에는 주택, 학교, 상가 등이 있다.

**09** ㄴ. 내진 구조: 건축물 내부에 고강도 철근 콘크리트 같은 지진에 강한 재료를 이용하여 건물 자체의 힘만으로도 강한 흔들림에 무너지지 않도록 한 구조

> | 오답 뛰어넘기 | ㄱ. 제진 구조: 건물 중간에 설치한 장치가 지진 에너지를 흡수하도록 하여 건물의 피해를 최소화하고, 무너지지 않도록 한 구조 ㄷ. 면진 구조: 건축물과 땅을 분리하여 지진의 진동이 건물로 전달되는 것을 최소화하여 건물이 무너지지 않도록 한 구조

**10** 화재 발생 시 신속하게 감지하고 알릴 수 있는 설비 및 소화에 필요한 소방 설비를 설치해야 한다.

**11** 에너지 제로 하우스는 화석 에너지 사용으로 발생하는 탄소의 배출이 없는 주택으로, 열을 차단하는 패시브 하우스, 에너지를 자체 생산하는 액티브 하우스 등이 있다.

**12** 식물 공장은 식물의 성장에 필요한 빛, 온도, 습도, 이산화 탄소 등을 인공적으로 제어하여 계절, 기상 이변, 자연환경, 장소 등의 제약을 받지 않고 계획적, 안정적으로 작물을 생산할 수 있는 재배 시스템이다.

**13** 핵 이식 기술은 생물체의 체세포에서 핵을 추출하여 핵이 제거된 다른 세포에 이식하는 기술이다.

**14** 전기 자극보다 특정 세포를 더 정확하게 자극할 수 있어 정신·육체적 질환을 치료할 수 있다.

**15** U-헬스 케어는 인터넷, 휴대 전화 등 유무선 네트워크를 통해 언제 어디서나 환자와 병원 및 의료진을 연결하여 실시간으로 진단, 치료, 예방 등의 건강 관리가 가능한 기술이다.

**16** 하이브리드 자동차는 단일 동력원의 일반 자동차와 달리 두 개 이상의 동력원에 의해 차체가 구동되는 차량으로, 배터리로 작동되는 모터와 석유로 작동되는 엔진이 함께 탑재되어 있는 자동차를 말한다.

> | 오답 뛰어넘기 | ① 전기 자동차: 단순한 구조, 배기가스가 없음, 소음이 적음, 이차 전지의 사용, ② 가솔린 자동차: 친환경 자동차가 아님. ④ 수소 연료 전지 자동차: 높은 에너지 효율, 배기가스가 없음, 소음이 적음. ⑤ 플러그인 하이브리드 자동차: 단거리는 전기로만 주행, 장거리 주행 시 엔진 사용, 하이브리드 + 전기차의 특성

**17** 무인 자동차의 핵심 기술은 자기 위치 추적, 주변 환경 인식, 경로 생성, 차량 제어 기술이라 할 수 있으며, 위성 항법 장치(GPS)와 레이더 등 각종 센서를 사용한다.

**18** 최근의 해상 수송 기술은 규모가 크고, 빠른 속도로 움직일 수 있으며, 동시에 환경 오염을 줄이기 위해 태양광, 풍력, 연료 전지 등과 같은 친환경 연료를 사용하는 수송 수단을 개발하는 데 주력하고 있다.

**19** 우리나라에서는 드론의 비행 금지 구역을 설정하고 있다. 비행 금지 구역에서 비행 시 벌금 최대 200만 원의 과태료가 부과된다.

**20** 사물 인터넷의 등장은 공간과 시간의 제약에서 벗어나 삶의 질을 높이는 기회가 되었지만 네트워크를 기반으로 사용하기 때문에 보안에 취약할 수 있다.

**21** ①은 1981년, ②는 1984년, ③은 1996년, ④는 2007년, ⑤는 2010년의 정보 통신 기술에 대한 설명이다.

**22** 미래에는 태양광이나 수소를 에너지로 사용하는 친환경 수송 기술이 발달할 것이다.

**23** 최근 초고속 유무선 네트워크 환경이 보편화되면서 데이터의 사용량이 기하급수적으로 증가하고 있다.

**24** 첨단 기술의 발달 속도는 점점 빨라지고 있으며 기술의 발달이 고도화될수록 독립적이기보다 서로 융합된 형태로 등장하게 된다.

**③ 첨단 기술의 영향과 문제 해결**

**01** ②   **02** ①   **03** ⑤   **04** ①   **05** ①

**01** 정보 통신 기술의 발달은 정보 사회를 가속화하여 정보의 가치가 중요한 사회가 되었지만, 개인의 사생활 침해와 정보의 유출 등의 문제를 일으키기도 한다.

**02** 정보 통신 기술의 발달이 미치는 긍정적인 영향으로 재택 수업 및 원격 강의, 재택근무가 활발해진다.

**03** 유전자 가위 기술은 쉽게 말해 '지퍼(DNA)'가 고장 났을 때 이빨이 고장난 부분(특정 유전자)만 잘라내고 새로운 지퍼 조각을 갈아 끼우는 것처럼 '유전자 짜깁기' 기술로 불리기도 한다.

**04** 보안·안전 관련 문제 해결 사례에는 홍채 인식, 지문 인식, 얼굴 인식, 정맥 인식 등이 있다.

**05** 해킹이나 오류 등으로 주행상에 문제가 생겨 사고를 유발하고 개인 정보를 침해하는 문제가 생길 수 있으므로, 무인 자동차의 보안과 관련된 엄격한 법을 제정하고, 강력한 보안 체계를 구축해야 한다.

**01** ④   **02** ③   **03** ②   **04** ②   **05** ②

**01** 생명 기술의 발달은 유전자 분석 및 조작 기술, 장기 재생 및 이식 기술의 발달을 가져오며, 정보 통신 기술의 발달은 무선 통신과 인공 지능 기술의 발달을 가져온다.

**02** 제조 기술의 발달은 기계에 의존하면서 인간의 기계화와 비인간화 현상을 촉진시킬 수 있으며, 많은 일자리가 사라질 수도 있으며, 수송 기술의 발달은 수송 수단이 대량으로 공급되면서 환경 오염 문제를 일으킬 수 있다.

**03** 유전적으로 질병을 안고 태어날 유전자를 제거함으로써 건강을 유지할 수 있으며, 유전적으로 우수한 형질의 개체를 만들어 낼 수 있어서 환경에 대한 생존력이 강해질 수 있다.

> | 오답 파헤치기 | ㄱ, ㄴ은 유전자 가위 기술의 부정적인 측면이라고 할 수 있다.

**04** 얼굴 인식은 눈썹 간 거리, 얼굴뼈 돌출 정도 등의 특징으로 신원을 확인하는 것으로, 기계와 직접 접촉하지 않아서 편리하고 거부감이 적다.

**05** 증강 현실은 가상 현실의 한 분야로 사용자가 실제 환경을 볼 수 있으며 실제 환경과 가상의 객체가 혼합된 형태를 띠고 있다.

**01** ④   **02** ③   **03** ④   **04** ②   **05** ①   **06** ②   **07** ④   **08** ①
**09** ④   **10** ⑤   **11** ④   **12** ②   **13** ⑤   **14** ②   **15** ③   **16** ②
**17** ④   **18** ②   **19** ④   **20** ①   **21** ④   **22** ①   **23** ①   **24** ④
**25** ②   **26** ④   **27** ③   **28** ⑤
[ 서술형 문제 ] 29~33 해설 참조

**01** 기술의 분야를 생산 기술, 정보 통신 기술, 수송 기술로 분류하기도 하며, 생산 기술에는 제조 기술, 건설 기술, 생명 기술이 포함된다.

**02** 딥 러닝은 컴퓨터에게 사람의 사고방식을 가르치는 방법으로, 컴퓨터가 스스로 사람처럼 학습할 수 있는 인공 지능 기술이다.

**03** 프랑스의 퀴뇨는 자동차의 원조라고도 할 수 있는 증기 자동차를 최초로 만들어 4km/h의 속도로 파리 시내를 달렸다.

**04** 융합 기술은 두 가지 이상의 과학 기술이나 학문 분야가 결합되어 효과를 극대화한 기술로, 나노 기술(NT), 바이오 기술(BT), 정보 기술(IT) 등이 있다.

**05** 2차 산업 혁명은 전력, 노동 분업, 대량 생산, 3차 산업 혁명은 전자 기기, IT 발전, 생산 자동화, 4차 산업 혁명은 융합 기술이다.

**06** 메카트로닉스(mechatronics)는 산업용 기계에 다양한 형태의 지능적인 로봇 기능을 결합하는 등 기계와 전자 기술을 복합적으로 적용한 기술이다. 전자 기술과 기계 기술의 융합으로 자동 제어 기계, 산업용 로봇 등이 개발되었다.

**07** 나노 기술은 물체를 원자나 분자 수준에서 분석·조작·제어하여 새로운 물질을 만드는 기술 분야로 기존의 산업뿐만 아니라 의료, 생명, 에너지 등 다양한 분야에 폭넓게 적용되고 있다.

**08** 최근의 4D 프린팅 기술은 3D 프린터로 출력한 3차원 물체가 햇빛, 온도, 물 등의 조건에 따라 변형되도록 만드는 기술이다.

**09** 토목 기술의 이용은 규모가 크고 공공성과 공익성을 띠는 구조물을 건설하여 산업의 발달에 기여하였으며, 편리한 생활이 가능해졌다.

> | 오답 파헤치기 | 인간이 쾌적하고 안전하며 능률적인 생활을 하는 데 필요한 공간을 만드는 기술은 건축 기술이며, 주택, 학교, 상가, 빌딩 등이 있다.

**10** 초고층 빌딩은 건물 내에서 모든 생활의 서비스를 제공함과 동시에 도심의 랜드 마크로서 도시 경쟁력을 높인다.

**11** 초장대 교량은 정보 통신 기술과 융합하여 스마트 교량 및 환경을 고려한 신재생 에너지 교량 등으로 발전하고 있다.

**12** 타이페이 101 빌딩은 건물 내에 감쇠 장치(대형 추)를 설치하여 지진의 진동 에너지를 분산할 수 있게 하였다.

**13** 화재 발생 시 신속하게 감지하고 알릴 수 있는 설비 및 소화에 필요한 소방 설비를 설치해야 한다.

**14** 공사 기간의 단축 및 대량 공급이 가능해져 건축 비용이 적게 들고 건물 해체 후에도 재사용이 가능해 건설 폐기물이 적게 발생하는 친환경 건축 기술이다.

> | 오답 파헤치기 | ③ 액티브 하우스: 신재생 에너지를 이용하여 에너지를 자체 생산하는 집, ④ 패시브 하우스: 단열 기능이 뛰어난 재료를 사용하여 집 밖으로 나가는 열을 차단한 집, ⑤ 에너지 제로 하우스: 에너지 사용으로 발생하는 탄소의 배출이 없는 주택이다.

**15** 에너지 제로 하우스에는 단열 기능이 뛰어난 재료를 사용하여 집 밖으로 나가는 열을 차단하는 패시브 하우스, 태양열과 풍력 등의 신재생 에너지를 이용하여 에너지를 자체 생산하는 액티브 하우스 등이 있다.

**16** 세포 융합은 서로 다른 두 종류의 세포를 융합하여 잡종 세포를 만드는 기술이다.

**17** 유전자 재조합 기술을 활용하여 영양 성분 개선, 병충해 내성 향상, 생산량 증대 등의 효과를 볼 수 있다.

**18** 식물 공장의 핵심 기술은 장소, 빛, 자동화, 양분, 온도 등이다.

**19** 유전자 가위 기술은 맞춤형 아기 탄생과 같은 윤리적 문제도 잠재되어 있다.

**20** 광유전학 기술은 시각 장애뿐만 아니라 파킨슨병, 우울증, 정서 불안 장애 등을 치료 연구하는 데 활용하고 있다.

**21** 바이오닉스(bionics)는 생물학(biology)과 전자 공학(electronics)의 합성어이다.

**22** ②는 의료용 로봇, ③은 딥 헬스, ④는 나노 로봇, ⑤는 바이오닉스를 설명하고 있다.

**23** 하이브리드 자동차와 플러그인 하이브리드 자동차는 전기와 화석 연료, 수소 연료 전지 자동차는 수소 연료 전지를 에너지원으로 사용한다.

**24** ①은 무인 선박, ②는 초전도 전기 추진 선박, ③은 자가용 잠수정, ⑤는 원자력선에 대한 설명이다.

**25** 수송 기술의 발달은 우주 엘리베이터와 같은 건설로 인간의 생활 영역을 해저와 우주로까지 확대시킬 것이다.

**26** 클라우드는 많은 컴퓨터가 연결된 모양이 마치 '구름'과 같다고 하여 붙여진 이름이다.

> | 오답 파헤치기 | ② 유비쿼터스(ubiquitous)는 '언제 어디에서나 존재하는'이라는 라틴어(ubiquitous)가 어원으로 시간과 장소에 구애받지 않고 언제나 네트워크에 접속하여 정보 통신 서비스를 활용할 수 있는 환경을 말한다.

**27** 빅 데이터는 규모, 다양성, 속도, 가치 등의 특징을 가지고 있다.

**28** 정맥 인식은 손바닥이나 손목에 위치한 눈에 보이지 않는 혈관을 적외선 조명으로 패턴 정보를 추출해 인식하는 기술이다.

**29** 최근 급속히 발전하는 신기술 분야로 이종 기술 간 융합을 통하여 신제품이나 서비스를 창출하거나 기존 제품의 성능을 향상

시키는 기술이다. IT-BT 융합 기술로는 바이오 전자, 바이오컴퓨터 등이 있고, BT-NT 융합 기술로는 바이오칩 등이 있다. 또한 IT-NT 융합 기술로 나노 센서, 양자 컴퓨터 등의 제품이 있다.

**30** 물체를 원자나 분자 수준에서 분석 · 조작 · 제어하여 새로운 물질을 만드는 기술로 기존의 산업뿐만 아니라 의료, 생명, 에너지 등 다양한 분야에 폭넓게 적용되고 있다. 나노 신소재, 나노 바이오, 나노 센서, 나노 에너지 등의 사례가 있다.

**31** • 유전자 재조합: 생물체의 유전자 일부를 잘라내고 그 자리에 다른 생물체의 유전자를 결합하는 기술
   • 핵 이식: 생물체의 체세포에서 핵을 추출하여 핵이 제거된 다른 세포에 이식하는 기술
   • 조직 배양: 생물체의 세포 조직 일부를 분리하여 영양 배지에서 키우는 기술
   • 세포 융합: 서로 다른 두 종류의 세포를 융합하여 잡종 세포를 만드는 기술

**32** 사람, 사물, 데이터 등이 네트워크로 연결되어 정보가 생성, 수집, 공유, 활용되는 것을 뜻한다. 생활용품, 의료, 유통 산업, 스마트 홈, 스마트 자동차, 스마트 쇼핑 등에 이용되어 인간의 삶을 좀 더 윤택하게 해주고 있다.

**33** • 제조 기술의 발달로 제품을 신속하고 정확하게 생산할 수 있으며, 위험한 일은 기계나 로봇이 대신하게 된다.
   • 건설 기술의 발달로 다양한 형태의 구조물이 등장하여 자연재해를 예방하고 대처하여 인명 피해를 막을 수 있게 된다.
   • 생명 기술의 발달로 인간은 질병으로부터 해방되고 수명이 연장된다.
   • 수송 기술의 발달로 인간은 쾌적하고 신속하게 목적지까지 도달할 수 있다.
   • 정보 통신 기술의 발달로 재택 수업 및 원격 강의, 재택근무가 활발해진다.

**[ 예시 답안 ]**

합천 해인사의 장경판전은 자연의 조건을 이용하여 합리적이고 과학적으로 설계되어 지금까지 장경판전을 잘 보존할 수 있다는 평을 받고 있다. 판전 주변의 지형은 북쪽이 높고 막혀 있으며, 남쪽 아래로 열려 있다. 따라서 남쪽 아래에서 북쪽으로 불어오는 바람이 자연스럽게 판전 건물을 비스듬히 스쳐 지나게 되어 있다. 특히 습도가 많은 여름 동남풍은 판전을 타고 돌아 옆으로 흘러나간다. 이는 건물 내부 환경의 적절한 유지와 원활한 통풍이 가능하다.

장경판전 구조는 통풍을 위하여 창의 크기를 남쪽과 북쪽을 서로 다르게 하고 각 칸마다 창을 내었다. 또한, 안쪽 흙바닥 속에는 숯과 횟가루, 소금을 모래와 함께 차례로 넣음으로써 습도를 조절하도록 하였다. 숯은 스펀지 골격과 같은 모양으로 수많은 섬유질 탄소 구멍이 $1{,}000\text{nm}$ 두께로 뭉쳐 있는 구조체이다. 이 탄소 골조 사이에 직경 약 $2{\sim}5\mu\text{m}$ 정도의 빈 공간이 만들어진다. 숯덩이 내부에 미세한 그물망처럼 촘촘히 만들어진 이 공간으로 수분과 먼지가 강력하게 흡수된다. 이 원리를 발전시켜 숯은 오늘날에도 반도체 공장의 공기 정화나 수질 정화용 첨단 필터 소재로 널리 사용되고 있다.

# V 기술 활용

## ❶ 직업과 안전

01 ①　02 ④　03 ③　04 ③　05 ②　06 ①　07 ①　08 ①
09 ⑤　10 ④　11 ③　12 ⑤

**01** 기술의 발달은 직업 세계의 변화에 많은 영향을 끼치고 있으며, 새로운 직업에서 요구되는 능력도 변화시키고 있다.

**02** 첨단 건설 기술 관련 유망 직업에는 빌딩 정보 모델링 디자이너, 녹색 건축 전문가, 건설 코디네이터, 건축 안전 기술자, 도시 재생 전문가, 친환경 건축 컨설턴트 등의 직업이 있다.

**03** 첨단 생명 기술 관련 미래 유망 직업에는 유전 상담사, 인지 뇌공학 전문가, 뇌기능 분석 전문가, 생체 인식 기술자, 원격 진료 코디네이터, 의료 정보 분석사 등이 있다.

**04** 생활에 필요한 제품을 생산하는 제조 현장에서는 전기, 크레인, 프레스 및 고속 회전체, 용접 작업 등에서 안전사고가 주로 발생한다.

**05** 건물, 설비, 시설 등을 세우는 건설 현장에서는 철골 조립, 가설 구조물, 철근 콘크리트, 외부 도장 공사 등에서 주로 발생한다.

**06** 횡단보도에서는 녹색 신호에 오른쪽으로 건넌다.

**07** 지진 발생 직후에는 책상 아래로 들어가 책상다리를 꼭 잡거나 책가방, 책, 방석, 손 등으로 머리를 보호한다.

**08** 안전띠를 착용하면 안전사고 발생 시 승차한 사람들의 안전을 보호받을 수 있다.

**09** 규제 표지는 도로 교통의 안전을 위하여 각종 제한 금지 등을 알리는 표지이다.

**10** 변속 레버는 P(Parking): 주차, R(Reverse): 후진, N(Neutral): 중립, D(Drive): 주행을 나타낸다.

**11** 교통사고를 예방하기 위해서 모든 차량은 앞차와의 간격을 정지 거리 이상으로 유지해야 한다.

**12** 운전 중에 휴대 전화 및 DMB를 시청하면 전방 주시율이 급격히 떨어져 대형 사고의 원인이 된다.

01 ④　02 ③　03 ④　04 ⑤　05 ②　06 ⑤　07 ①　08 ③
09 ⑤　10 ①　11 ②　12 ②　13 ⑤　14 ③　15 ⑤　16 ①
17 ⑤　18 ②

**01** 정보 사회와 함께 기술이 급격하게 발달하면서 각 기술은 독립적으로 활용되기보다는 다른 분야와 융합하여 이용되는 형태로 나타나고 있다.

**02** 자기 리더십은 스스로 영향력을 행사하여 끊임없이 자기 성장을 이루는 능력이다.

**03** 첨단 제조 기술 분야의 직업에는 공장 자동화 컨설턴트, 메카트로닉스 공학 기술자, 실버 로봇 서비스 기획자, 의료용 로봇 전문가, 지능 로봇 연구 개발자 등이 있다.

**04** 첨단 수송 기술 분야의 직업에는 항공 우주 공학자, 무인 항공기 시스템 개발자, 무인 자동차 전문가, 우주여행 기획자, 항공 통신 기술자 등이 있다.

**05** 무인 항공기 시스템 개발자는 무인 항공기 시스템의 설계, 제조, 작동 및 유지에 필요한 활동을 수행하고, 자동 운항 시스템 개발 정보 자료의 수집 체계를 설계하여 개발한다.

**06** 제조 현장에서는 전기, 크레인, 프레스 및 고속 회전체, 용접 작업 등에서 안전사고가 주로 발생한다.

**07** 철골 조립 공사에서 철골 위에서 떨어짐에 의한 사고를 예방하려면, 떨어짐 방지망을 설치하고, 안전대 걸이 시설을 설치하며, 물체가 떨어질 위험 구간에는 근로자 출입을 금지한다.

> **| 오답 뛰어넘기 |** ②, ③, ⑤는 가설 구조물 공사에서의 안전사고 예방이며, ④는 외부 도장 공사에서의 안전사고 예방에 속한다.

**08** 콘크리트 타설 작업을 할 때에는 벽체 타설 - 양생 - 슬래브 타설의 순서를 지킨다.

**09** 내륜차는 커브를 돌 때 안쪽의 뒷바퀴는 같은 쪽의 앞바퀴 보다 안쪽을 통과하게 되는 차이이다.

**10** 자전거를 둘이 함께 타거나 뒤에 서서 타는 것은 위험하며, 정지하고 있는 자동차 옆은 문이 열리면 부딪칠 수 있으므로 주의한다.

**11** 전기 화재를 예방하려면, 전기 기구 구입 시 안전 인증 여부를 확인하고, 전선의 피복 손상 여부를 수시로 확인한다.

**12** 엘리베이터를 이용하지 않고 계단을 이용해 건물 밖이나 옥상으로 대피한다.

**13** 날씨 상태, 불합리한 도로 구조 및 노면 상태, 교통안전 시설의 미비, 장마철의 도로 낙석, 쓰러진 가로수 등이 있다.

> | 오답 뛰어넘기 | ②는 차량 결함, ①, ③, ④는 운전자 부주의에 해당한다.

**14** 지시 표지는 도로의 통행 방법, 통행 구분 등을 도로 사용자에게 알리는 표지이다.

**15** 방어 운전은 다른 운전자나 보행자가 교통 법규를 지키지 않거나 위험한 행동을 하더라도 운전 중에 위험 사태를 미리 예측하고, 적절하게 대처하면서 운전하는 적극적인 운전 방법이다.

**16** 변속 레버는 P(Parking) 주차, R(Reverse) 후진, N(Neutral) 중립, D(Drive) 주행을 나타낸다.

**17** 점화 플러그, 브레이크 패드, 라이닝 등과 같은 부품은 정비 공장에서 정기적으로 점검하고 필요에 따라 조정 및 교환한다.

**18** 정지 거리는 공주 거리에 제동 거리를 더한 거리이다.

### ❷ 기술 혁신과 발명

**기초 다지기 문제**　　107~108쪽

01 ①　02 ⑤　03 ②　04 ①　05 ⑤　06 ④　07 ③　08 ②
09 ①　10 ①　11 ③　12 ③　13 ①

**01** 창의 공학 설계는 문제를 해결하기 위해 문제의 핵심을 파악한 후 창의 발상 도구를 활용하여 아이디어를 창출하고, 평가하는 과정을 거쳐 최적의 해결책을 찾아 구체화하는 것을 의미한다.

**02** 척도는 제도용지에 나타낼 물체의 크기와 실물 크기의 비율을 나타낸 것이다.

**03** 물체의 보이지 않는 부분의 모양을 표시할 때 사용하는 것은 숨은선, 치수를 나타내기 위해 물체의 외형선을 연장할 때 사용하는 선은 치수 보조선이다.

**04** 정투상법은 정면도, 평면도, 우측면도로 물체를 나타내는 것이 원칙이나 정면도만으로 표현이 가능한 때는 평면도나 측면도를

생략할 수 있다.

**05** 투시투상법은 물체를 사람의 눈에 보이는 대로 그리는 투상법이다. 소점을 이용하여 물체의 원근감이 잘 나타나도록 그린다.

**06** 구상도는 주로 등각투상도나 사투상도로 나타내며, 필요한 곳에는 치수를 기입하고 그림이나 치수로 나타내기 어려운 내용은 글로 써 넣는다.

**07** 발명은 생활을 편리하게 만들어 주는 것으로 창의성, 실용성, 경제성을 갖추어야 한다.

**08** 지식 재산권은 인간의 창작물을 보호하기 위하여 부여하는 권리로, 인간의 지적 · 정신적 활동의 성과로 얻어진 무형의 재능에 대한 권리이다.

**09** 창업 아이디어가 정해졌다면 판매 및 마케팅 전략, 자금 계획, 수익성, 경쟁력 등을 고려하여 창업할 수 있다.

**10** 산업 재산권은 산업 활동과 관련된 창작물을 보호하기 위한 권리로, 특허권, 실용신안권, 디자인권, 상표권이 있다.

**11** 제품을 대량 생산할 때, 사전에 각 부문에 대한 표준화 작업은 생산, 소비, 유통 등 여러 분야에서 효율성을 높여 경제성이 향상된다.

**12** 특허 출원은 변리사를 이용하는 방법과 본인이 직접 출원하는 방법, 온라인 전자 출원 제도가 있다.

**13** 상품 및 서비스의 국가 간 교류를 원활하게 하고, 지식, 과학 기술 및 경제 활동의 협력 발전을 목적으로 국제표준화기구(ISO)와 같은 표준 기관에서 제정한 표준을 말한다.

**실력 쌓기 문제**　　109~111쪽

01 ④　02 ②　03 ④　04 ②　05 ①　06 ②　07 ④　08 ②
09 ③　10 ③　11 ①　12 ③　13 ⑤　14 ①　15 ⑤　16 ②
17 ①　18 ④　19 ④

**01** 창의 공학 설계는 문제를 해결하기 위해 문제의 핵심을 파악한 후 창의 발상 도구를 활용하여 아이디어를 창출한다.

> | 오답 뛰어넘기 | ①은 문제 인식, ②는 아이디어 선정, ③은 아이디어 평가, ⑤는 아이디어 구체화 과정이다.

**02** 확산적 사고 기법은 문제를 해결하기 위해 다양한 아이디어를 내는 방법으로 브레인스토밍, 마인드맵, 스캠퍼 등이 있다.

**03** A0 용지는 841×1189mm로 4번 접으면 210×297mm인 A4 용지 16장을 만들 수 있다.

**04** 치수 보조 기호로 지름은 $\phi$, 반지름은 R, 정사각형의 변은 □, 판의 두께는 t, 45° 모따기는 C이다.

**05** 치수 보조선으로 가는 실선으로 나타내며, 치수를 나타내기 위해 물체의 외형선을 연장할 때 사용한다.

**06** 치수선으로 물체의 외형선과 나란히 긋고, 양 끝에는 화살표를 붙인다.

**07** 등각투상법은 물체를 수평선과 30°가 되도록 놓고, 물체의 세 모서리가 120°의 등각을 이루는 선을 그어 물체를 나타내는 방법이다.

**08** 사투상법은 물체의 정면을 실제 모양으로 나타내고, 각 꼭짓점에서 일정한 각을 이루는 경사선을 그어 물체를 입체로 나타내는 방법이다.

**09** 물체의 특징이나 크기 등을 제도 규칙에 따라 입체적으로 그린 그림을 구상도라 한다.

> **| 오답 뛰어넘기 |** ①은 투시투상법, ②는 스케치, ④는 등각투상법, ⑤는 제작도의 설명이다.

**10** 제품의 제작이 가능하도록 부품의 조립 상태, 각 부품의 크기 등을 자세하게 그리는 제작도에는 조립도, 부품도, 상세도 등이 있다.

**11** 기술적 문제 해결 방법은 문제 확인, 계획, 실행, 평가의 4 단계로 이루어진다.

**12** 지식 재산권은 크게 산업 재산권, 저작권, 신지식 재산권으로 구분하며, 신지식 재산권에는 첨단 산업 재산권, 산업 저작권, 정보 재산권 등이 있다.

**13** 산업 재산권은 산업 활동과 관련된 창작물을 보호하기 위한 권리이다.

> **| 오답 뛰어넘기 |** 산업 저작권은 첨단 산업 재산권, 정보 재산권과 함께 신지식 재산권에 속한다.

**14** 실용신안권은 출원일로부터 10년, 특허권과 디자인권은 출원일로부터 20년, 상표권은 등록일로부터 10년이며, 10년마다 갱신해야 한다.

**15** 지식 재산권 정보 검색 서비스에서 키워드를 사용하여 조사할 수 있다.

**16** 특허 출원은 변리사를 이용하는 방법과 본인이 직접 출원하는 방법, 온라인 전자 출원 제도가 있다.

**17** 기술에 대한 새로운 지식이나 원리를 탐색하고, 연구 성과를 실용화하여 제품화하는 일을 기술 연구 개발(R&D)이라고 한다.

**18** 제품을 대량 생산할 때, 사전에 각 부문에 대한 표준화 작업은 생산, 소비, 유통 등 여러 분야에서 효율성을 높여 경제성이 향상되며, 제품의 품질도 향상된다.

**19** 모둠 평가는 모둠원 간의 협동심과 의사소통은 잘 이루어졌는가?, 아이디어는 스케치로 적절하게 표현하였는가?를 평가한다.

## ❸ 지속 가능한 발전

### 🌱 기초 다지기 문제　　113쪽

**01** ⑤　**02** ⑤　**03** ③　**04** ⑤

**01** 모든 사람이 평등하고 행복한 삶을 살 수 있도록 하는 사회 문화 측면을 고려하면서 인류가 지속하여 발전할 수 있도록 한다.

**02** 지속 가능한 발전을 위한 기술은 환경을 보호하고 빈곤을 구제하며, 자연을 파괴하지 않고 사회를 지속 가능하도록 유지 발전시키는 기술이다.

**03** 적정 기술이란 첨단 기술보다는 특정 지역의 환경이나 경제·사회적 여건에 맞게 지속하여 생산과 소비를 할 수 있도록 만들어진 기술을 뜻한다.

**04** 적정 기술은 그 지역의 재료를 사용하여 그 지역에서 소비되는 제품을 만들고 노동 집약적이며, 지역 환경에 적합한 기술을 지향한다.

### 실력 쌓기 문제　　114쪽

**01** ③　**02** ④　**03** ②　**04** ㄱ-①, ㄴ-④, ㄷ-②, ㄹ-⑤, ㅁ-③　**05** ②

**01** 경제 측면의 지속 가능한 발전의 범위는 빈곤 퇴치, 기업의 책임, 시장 경제(지속 가능한 생산과 소비) 등이 있다.

**02** 환경 측면의 지속 가능한 발전의 범위는 자연 자원(물, 에너지, 농업 등), 기후 변화, 농촌 개혁, 지속 가능한 도시화, 재해 예방 및 완화 등이 있다.

> | 오답 뛰어넘기 | 사회 문화 측면에는 인권, 평화, 안전, 양성 평등, 문화 다양성(문화 상호 간 이해), 건강과 에이즈, 시민 참여 의식 등이 있고, 경제 측면에는 빈곤 퇴치, 기업의 책임, 시장 경제(지속 가능한 생산과 소비) 등이 있다.

**03** 친환경 교통 시스템은 편리하고 저렴한 교통비로 사용률이 높은 대중교통 시스템이다.

**04** 적정 기술은 주로 낙후된 지역이나 소외된 계층을 배려하여 많은 비용이 들이지 않고 누구나 쉽게 배우고 쓸 수 있도록 만든 기술이다.

**05** 적정 기술은 그 지역의 재료를 사용하여 그 지역에서 소비되는 제품을 만들고 노동 집약적이며, 지역 환경에 적합한 기술을 지향한다.

---

## 👑 대단원 평가 문제     115~118쪽

01 ②   02 ③   03 ②   04 ④   05 ③   06 ④   07 ②   08 ①
09 ②   10 ②   11 ②   12 ①   13 ③   14 ④   15 ⑤   16 ④
17 ⑤   18 ④   19 ①   20 ②   21 ②

[ 서술형 문제 ] 22~26 해설 참조

---

**01** 기술의 발달은 직업 세계의 변화에 많은 영향을 끼치고 있으며, 새로운 직업에서 요구되는 능력도 변화시키고 있다.

> | 오답 파헤치기 | ①은 자기 리더십, ③은 대인 관계, ④는 창의성에 대한 설명이다.

**02** 첨단 제조 기술 유망 직업에는 공장 자동화 컨설턴트, 메카트로닉스 공학 기술자, 산업용 기계 설계 기술자, 실버 로봇 서비스 기획자, 의료용 로봇 전문가, 지능 로봇 연구 개발자 등의 직업이 있다.

**03** 첨단 생명 기술 유망 직업에는 유전 상담사, 인지 뇌공학 전문가, 뇌기능 분석 전문가, 생체 인식 기술자, 원격 진료 코디네이터, 의료 정보 분석사 등이 있다.

**04** 생활에 필요한 제품을 생산하는 제조 현장의 전기, 크레인, 프레스 및 고속 회전체, 용접 작업 등에서 안전사고가 주로 발생한다.

**05** 콘크리트 타설 작업을 할 때에는 벽체 타설 — 양생 — 슬래브 타설의 순서를 지킨다. 골고루 분산 타설하여야 하며, 이상이 발견되면 즉시 타설 작업을 중지하고 보강 조치를 한다.

**06** 생활 속에서 각종 안전사고를 예방하고 안전 의식을 정착하기 위해서는 안전에 대한 올바른 지식과 가치관 및 태도를 갖추어야 한다.

**07** 자전거를 탈 때는 안전모를 반드시 착용해야 하며 횡단보도를 건널 때에는 자전거에서 내려 끌고 건널 수 있도록 해야 한다. 자전거를 둘이 타거나 뒤에 서서 타는 것은 매우 위험하다.

**08** 자동차 사고는 주로 교통 신호 위반, 불법 유턴, 차선 위반, 안전거리 미확보, 안전띠 미착용 등의 교통 법규 위반으로 발생한다.

**09** 점화 플러그, 브레이크 패드, 라이닝 등과 같은 부품은 정비 공장에서 정기적으로 점검하고 필요에 따라 조정 및 교환한다.

**10** 창의 공학 설계 과정 문제를 인식한 후 확산적 사고 기법을 사용하여 최대한 많은 아이디어를 찾고 수렴적 사고 기법을 사용하여 아이디어를 다듬고 평가한다.

**11** 치수 보조 기호는 $\phi$ : 지름, R: 반지름, □: 정사각형, t: 판의 두께, C: 모따기이다. 치수 보조 기호는 치수 앞에 표시한다.

**12** 한국 산업 표준에서는 제3각법에 의해 정투상도를 그리도록 규정하고 있는데, 제3각법이란 물체의 정면, 평면, 우측면을 그려서 물체를 나타내는 방법이다.

**13** 선은 종류와 굵기에 따라 용도가 다르게 사용된다.

> | 오답 파헤치기 | ①은 가는 1점 쇄선, ②는 굵은 실선, ③은 가는 2점 쇄선, ④와 ⑤는 가는 실선에 대한 용도의 설명이다.

**14** 그림은 소점 2개를 기준으로 잡고 그린 2소점 투시투상도이다. 투시투상도는 물체를 사람의 눈에 보이는 대로 그리는 투상법이다. 물체의 원근감이 잘 나타나는 것이 특징이다.

**15** 기술적 문제 해결 방법은 문제 확인, 계획, 실행, 평가의 4 단계로 이루어진다.

> | 오답 파헤치기 | ①은 실행, ②는 평가, ③, ④는 문제 확인, ⑤는 계획 단계에 해당한다.

**16** 지식 재산권은 크게 산업 재산권과 저작권, 신지식 재산권으로 구분할 수 있다. 산업 재산권은 다시 특허권, 실용신안권, 디자

인권, 상표권으로 분류할 수 있다. 정보 재산권은 신지식 재산권에 포함된다.

**17** 특허 출원 절차는 심사, 공개, 등록의 절차로 크게 나눌 수 있다. 특허 출원일로부터 1년 6개월 뒤에는 기술 내용을 공개 특허 공보로 발간하여 알리게 된다.

**18** 기술에 대한 새로운 지식이나 원리를 탐색하고, 연구 성과를 실용화하여 제품화하는 일을 기술 연구 개발(R&D)이라고 한다.

**19** 문제 확인은 학교, 가정 등에서 생활하면서 불편한 점 또는 개선해야 할 점을 생각해 보는 단계이다.

**20** 지속 가능한 발전을 위한 기술은 환경을 보호하고 빈곤을 구제하며, 자연을 파괴하지 않고 사회를 지속 가능하도록 발전시키는 기술이다.

> | 오답 파헤치기 | ㄷ. 화석 에너지는 친환경 에너지가 아니다. ㅁ. 기술의 가치보다 환경의 가치를 더 추구하는 기술이어야 한다.

**21** 적정 기술은 첨단 기술보다는 특정 지역의 환경이나 경제 · 사회적 여건에 맞게 지속하여 생산과 소비를 할 수 있도록 만들어진 기술이다.

**22** • 창의성: 새로운 시각에서 통찰력과 융통성 있는 사고와 발상으로 가치 있는 아이디어와 산출물을 생산하는 능력
  • 자기 리더십: 스스로 영향력을 행사하여 끊임없이 자기 성장을 이루는 능력
  • 대인 관계: 타인에게 공감하고 자신과 상대방의 의도를 정확히 파악하여 설득력 있게 소통하는 능력
  • 비판적 사고: 정보를 정확히 분석하고 평가하여 합리적으로 선택, 활용할 수 있는 능력

**23** 교통신호 지키기, 규정 속도 준수하기, 음주 운전 안 하기, 졸음 운전 안 하기, 운전 중 휴대 전화 및 DMB 시청 안 하기, 안전거리 확보하기, 눈 · 비 올 때 감속하기, 보복 및 난폭 운전 안 하기, 자동차 점검 · 정비 생활화하기 등

**24** ① 정투상법: 물체의 각 면을 직각으로 투상하여 나타내는 방법으로, 물체의 모양과 크기를 도면에 정확하게 표현할 수 있기 때문에 조립도, 부품도 등의 제작도를 그릴 때 주로 사용한다.
  ② 등각투상법: 물체를 수평선과 $30°$가 되도록 놓고, 물체의 세 모서리가 $120°$의 등각을 이루는 선을 그어 물체를 나타내는 방법으로, 물체의 정면, 평면, 측면을 같은 기울기로 하나의 투상면 위에서 동시에 볼 수 있는 것이 특징이다.
  ③ 사투상법: 물체의 정면을 실제 모양으로 나타내고, 각 꼭짓점에서 일정한 각을 이루는 경사선을 그어 물체를 입체로 나타

내는 방법으로 정면이 실물과 같은 모양인 것이 특징이다.
  ④ 투시투상법: 물체를 사람의 눈에 보이는 대로 그리는 투상법으로, 소점을 이용하여 물체의 원근감이 잘 나타나도록 그리며, 소점의 위치와 개수에 따라 같은 물체를 서로 다르게 나타낼 수 있다. 완성될 건축물의 조감도, 교량 등의 모양을 나타낼 때 주로 사용된다.

**25** 전기 플러그 규격, 전등 규격, 정보 전송 방식, 휴대 전화, 텔레비전 채널, 운동 기구 및 음료수 용기, 와이파이 주파수, 건전지 규격, 교통 신호 등

**26** • 라이프스트로: 수질 오염이 심각한 지역에서 제품에 내장된 필터로 수인성 박테리아와 바이러스를 걸러낼 수 있다.
  • Q 드럼: 물이 부족한 지역에서 구르는 통으로 물을 쉽게 운반할 수 있게 한 기술이다.
  • 자전거 세탁기: 잘라낸 드럼통에 체인을 연결해서 페달을 밟으면 드럼통이 돌아가 전기가 없는 지역에서도 세탁을 할 수 있다.
  • 페트병 전구: 페트병에 물과 약간의 표백제를 넣어 지붕에 구멍을 뚫고 고정하면 낮에 실내를 밝힐 수 있는 조명이 만들어진다.
  • 항아리 냉장고: 큰 항아리 안에 작은 항아리를 넣고 그 주위에 젖은 흙을 넣으면 수분이 증발하면서 뺏어가는 기화열 때문에 채소나 과일을 시원하고 신선하게 보관할 수 있게 된다.

**융합 논술형 문제** 119쪽

**[ 예시 답안 ]**
한옥은 나무, 돌, 흙 등 우리 주위에서 쉽게 얻을 수 있는 재료들로 지어졌다. 돌이나 벽돌, 흙은 열용량이 큰 재료로 낮에는 열을 흡수하고 밤에는 열을 복사시킴으로써 쾌적한 실내를 유지할 수 있게 해 준다. 한옥의 내부에는 마루와 구들을 깔고 더위와 추위에 대한 방비를 하고, 외벽은 흙벽을 치고 지붕은 기와나 초가를 덮는다.
한옥에 쓰인 재료들은 어느 정도 시간이 흐르면 다시 자연으로 돌아가는 자연 친화적인 것으로 현대의 콘크리트와는 대조가 된다.